Danseuse
à l'école du Royal Ballet

J'aime se livre parce que j'aime le ballet
je prend des cours de ballet et de jumnastic
ainsie que écilibrel J'ai la pasion de la gimnastic.
Je travaille a la ferme ca c'ebt perssonel/
moi je moccupe de : les chevaux et le
fouin. J'ai une cheval elle sapplle mimi elle et
blanche trui geatille. Je técrie Émilie

Dans l'*ABC de la danse*, situé à la fin du livre,
tu trouveras la définition des termes appartenant
au vocabulaire de la danse classique.

Traduit de l'anglais par Katerina Zibeline

Aux élèves de l'école du Royal Ballet – passés, présents et à venir.
Puissiez-vous aller jusqu'au bout de vos rêves. – A. M.

Je remercie tout particulièrement Veronica Bennett et Sue Mongredien.

ISBN : 2-07-057138-6
Titre original : *The Royal Ballet School Diaries*
1. *Ellie's Chance to Dance*
Édition originale publiée par Grosset et Dunlap,
une division de Penguin Young Readers Group, New York
Série créée par Working Partners Ltd.
© Working Partners Ltd., 2005, pour le texte
© Éditions Gallimard Jeunesse, 2005, pour la traduction
N° d'édition : 136630
Loi n° 49-956 du 16 juillet 1949
sur les publications destinées à la jeunesse
Dépôt légal : janvier 2006
Imprimé en Espagne par Novoprint (Barcelone)

Alexandra Moss

Danseuse
à l'école du Royal Ballet
L'audition

GALLIMARD JEUNESSE

1

Cher Journal,

Ça y est : adieu Chicago... et bonjour l'Angleterre ! J'écris dans l'avion quelque part au-dessus de l'Atlantique. Je n'arrive pas à réaliser que nous avons quitté les États-Unis. À l'aéroport, j'ai dit au revoir à mes grands-parents et à Sarah, ma meilleure amie. Je ne sais pas ce que je vais devenir sans elle !

C'était affreux de devoir les quitter. J'avais la gorge tellement serrée que je pouvais à peine parler.

Sarah m'a offert ce journal pour raconter tout ce qui va m'arriver à Oxford. Elle dit que ce sera un peu comme si je lui parlais. J'espère qu'elle a raison...

En tout cas, c'est le bon moment pour commencer un journal car ma vie tout entière est en train de changer. Drôle de sensation : je suis à la fois surexcitée et complètement stressée.

Nous quittons Chicago, la ville où j'ai grandi, pour aller vivre à Oxford, en Angleterre. Maman a obtenu le poste de ses rêves comme professeur à l'université d'Oxford : c'est génial pour elle. En plus, elle n'a pas eu de poussée de SEP depuis longtemps. Ce doit être terrible d'avoir la sclérose en plaques. Cette maladie détruit son système nerveux : d'un seul coup, elle se met à trembler et lâche ce qu'elle a dans les mains. Enfin, croisons les doigts pour qu'elle continue à aller bien. Parfois, j'arrive presque à oublier qu'elle est malade.

Maman était ravie à la perspective de partir pour l'Angleterre, mais je dois avouer qu'au début, j'étais beaucoup moins enthousiaste. Ça tombait vraiment mal : j'étais sur le point d'envoyer ma candidature à l'école du Joffrey Ballet de Chicago, avec deux autres élèves de mon cours de danse. Mais lorsque j'ai annoncé à mon professeur, Mlle Lane, que je devais déménager, elle m'a appris que je pourrais peut-être postuler pour l'école du Royal Ballet de Londres. C'est vraiment une prof formidable, elle va beaucoup me manquer !

Maman et moi, nous sommes donc allées voir le site de l'école du Royal Ballet sur Internet... et j'ai tout de suite changé d'avis sur l'Angleterre ! Le Royal Ballet est l'une des meilleures écoles de danse classique au monde. Tant de danseurs fabuleux y ont été formés : Darcey Bussel, Margot Fonteyn, Antoinette Sibley...

Il faut avoir onze ans minimum pour intégrer l'école du Royal Ballet et je n'en ai que dix mais, pour les plus jeunes, ils proposent des cours juniors qui ont lieu un samedi sur deux et qu'on peut suivre un peu partout en Angleterre, y compris dans les locaux de l'école du Royal Ballet, au cœur de Londres. Maman m'a tout de suite proposé de m'y inscrire, en m'expliquant qu'Oxford n'était pas très loin de la capitale. Et j'ai répondu : « D'accord, je vais faire mes valises ! »

Je plaisantais, mais elle m'a aidée à remplir le formulaire d'inscription et, peu de temps après, j'ai reçu une convocation pour les auditions.

En juin, nous avons fait le voyage jusqu'en Angleterre exprès, maman et moi. Quelle aventure... et quelle angoisse ! Mais j'ai été reçue. Moi, Emily Brown, à l'école du Royal Ballet ! Incroyable, non ?

C'était il y a trois mois. Et voilà, nous allons nous installer dans un nouveau pays, je vais aller dans une nouvelle école, m'inscrire à un nouveau cours de danse à Oxford... et, toutes les deux semaines, j'irai à l'école du Royal Ballet !

Que de bouleversements ! Je vais être obligée de tout recommencer à zéro. Pourvu que ça se passe bien. Enfin, quoi qu'il arrive, j'aurai plein de choses à raconter dans ce journal. Sarah a bien choisi son cadeau.

Emily ne comprenait pas comment sa mère pouvait dormir : elle avait déjà somnolé pendant tout le vol et, maintenant qu'elles se trouvaient toutes les deux à bord du train pour Oxford, elle piquait à nouveau du nez !

Tout excitée par le voyage, Emily n'avait pas pu fermer l'œil. Elles avaient pris un vol de nuit – décollage de Chicago à huit heures du soir, arrivée à Londres sept heures plus tard. Sa montre, qu'elle avait réglée à l'heure anglaise, indiquait dix heures et demie du matin, alors qu'en fait, il était…

Elle se frotta les yeux, en essayant de faire le calcul. Ah ! Pas étonnant qu'elle soit si fatiguée. À Chicago, il était cinq heures et demie du matin. Elle aurait dû être au fond de son lit !

Par la fenêtre, Emily regardait défiler la campagne anglaise tout en écoutant les conversations des autres voyageurs. Elle réprima un sourire : leur drôle d'accent lui semblait tellement étrange.

Avec sa mère, elles voyageaient léger, elles n'avaient emporté qu'une valise et un sac chacune. Le reste de leurs affaires avait été transporté par bateau puis par camion jusqu'à Oxford. Ça allait lui faire drôle de voir leurs meubles dans un nouvel appartement. La pendule qu'elle avait toujours connue sur le manteau de la cheminée à Chicago, par exemple… elle ne pouvait l'imaginer ailleurs. Et ses chaussons de danse, dans un nouveau placard, dans une nouvelle chambre… Oh, là, là !

Elle redoubla d'impatience en sentant le train ralentir.

– Le train entre en gare d'Oxford, annonça un haut-parleur.

Oxford. Elles étaient arrivées !

– Maman, maman ! Réveille-toi ! s'écria Emily en tapotant le bras de sa mère. On y est !

Une fois le train à l'arrêt, elles descendirent sur le quai. La gare était tout ce qu'il y a de plus banal avec ses voies sans fin, son guichet éclairé aux néons et sa longue enfilade de fast-foods.

– Je croyais qu'Oxford était une belle ville, remarqua Emily, déçue, alors qu'elles empilaient leurs valises sur un chariot à bagages.

Sa mère étouffa un bâillement et lui sourit.

– Ne t'inquiète pas, ma puce. La ville en elle-même est beaucoup plus jolie que la gare, je t'assure !

Lorsqu'elles furent installées à l'arrière d'un taxi, Mme Brown se pencha pour s'adresser au chauffeur :

– C'est la première fois que ma fille vient à Oxford. Pourriez-vous passer devant les principaux monuments en nous emmenant à Tenniel College, s'il vous plaît ?

Le conducteur se retourna et fit un clin d'œil à Emily.

– D'accord, en route pour la visite guidée d'Oxford !

– Merci, répondit-elle, impatiente de découvrir sa nouvelle ville.

Sa mère était tombée amoureuse d'Oxford lorsqu'elle était venue y faire ses études quinze ans plus tôt et elle avait toujours rêvé d'y habiter. Quand elle avait vu l'annonce pour un poste de professeur à l'université, elle n'avait pas pu résister.

– C'est le destin ! s'était-elle exclamée, un sourire ravi aux lèvres. Je suis sûre que c'est le destin, Emily !

Et elle avait envoyé sa candidature.

Alors que le taxi traversait le centre-ville, Emily garda le nez collé à la vitre, les yeux de plus en plus écarquillés. Toutes les rues étaient bordées d'incroyables bâtiments de pierre avec des fenêtres à petits carreaux, ornés de sculptures et de clochers qui concurrençaient ceux des églises et de la cathédrale : il s'agissait de la prestigieuse université d'Oxford. Le chauffeur de taxi leur montra le jardin botanique et le pittoresque parc du collège de Christ Church. L'été touchait à sa fin et les arbres prenaient de magnifiques nuances de rouge, orange et brun.

Emily était éblouie.

– Maman, c'est magnifique, on dirait un décor de cinéma. Et dire que nous allons vivre ici !

– Attends un peu d'avoir vu l'appartement.

En tant que professeur, Mme Brown avait un logement de fonction dans les locaux de l'université. Au début, Emily n'était pas follement enthousiaste à cette idée, elle aimait sa maison de la banlieue de Chicago avec son grand jardin. Mais lorsque le taxi s'arrêta devant un bâtiment de pierre avec une impressionnante porte d'entrée et de fabuleuses petites fenêtres ouvragées, Emily changea immédiatement d'avis. C'était tellement beau !

– Sarah ne me croira jamais !

Mme Brown paya le chauffeur de taxi et alla chercher les clefs de l'appartement à la loge. Puis elles prirent leurs valises et commencèrent à monter les escaliers. Au moment où Emily se disait qu'elle aurait préféré habiter au rez-de-chaussée, un homme fit son apparition au pied des marches.

– Laissez-moi vous aider !

Il les rejoignit et se présenta :

– Peter Minton, assistant en génétique.

– Enchantée, répondit Mme Brown en lui serrant la main. Je m'appelle Amy Brown, et voici ma fille, Emily. Nous emménageons au premier étage.

– Nous serons donc voisins, conclut M. Minton avant de se tourner vers Emily. Bienvenue, Emily. Ma fille Chloé doit avoir à peu près ton âge. Elle va être enchantée d'avoir une nouvelle amie.

Il se chargea des bagages et les devança dans l'escalier.

– Vous devez être au numéro 4, en face de chez

nous. Nos anciens voisins sont partis le mois dernier. Dès que vous aurez posé vos valises, venez à la maison prendre le thé.

– C'est très gentil de votre part. Ce sera avec plaisir. Ah, nous y sommes !

Ils venaient d'arriver devant la porte numéro 4.

Une fois M. Minton parti, Emily se rua dans l'appartement pour faire le tour du propriétaire. C'était assez petit comparé à leur maison de Chicago mais très lumineux, avec une vue magnifique sur les jardins du collège.

Il y avait deux chambres, l'une avec un lit deux places, l'autre avec un lit simple. Emily s'assit dessus pour tester le matelas, puis elle tira un vieil ours en peluche de son sac.

– Bienvenue dans ta nouvelle demeure, notre nouvelle demeure. Alors, ça te plaît ?

Serrant son ours contre elle, Emily inspira son odeur si familière. Elle eut un pincement de nostalgie, Chicago lui manquait.

– Mmm… Moi non plus, je n'en suis pas sûre. Plutôt bizarre comme endroit, hein ? Je me demande si j'arriverai un jour à me sentir ici chez moi.

Sa mère passa sa tête dans l'embrasure de la porte.

– Je vais me rafraîchir un peu et après, on pourra rendre visite à nos nouveaux voisins.

– D'accord.

Emily consulta sa montre.

– Hé ! À Chicago, on vient juste de se réveiller. Papi et mamie doivent être en train de préparer le petit déjeuner, café et *pancakes**. Ça fait drôle !

Mme Brown se frotta l'estomac.

– Tout ça me donne faim ! Après le thé chez les Minton, on ira dîner. Tu te sens prête à goûter à la cuisine anglaise ? Je te propose un *fish and chips*, une spécialité typiquement « british » : du poisson frit avec des frites arrosées de vinaigre. Tu vas voir, c'est délicieux. Quand j'étais étudiante, j'adorais ça.

Amy Brown avait passé un semestre à Oxford pendant ses études. C'est là qu'elle avait rencontré le père d'Emily. Cette dernière aurait aimé avoir plus de souvenirs de lui, mais malheureusement il était mort dans un accident de voiture lorsqu'elle était toute petite. Depuis, Emily et sa mère for-maient une équipe inséparable. Et même si l'idée

* Petites crêpes épaisses que l'on prend pour le petit déjeuner aux États-Unis.

de tremper des frites dans du vinaigre lui semblait plus qu'étrange, elle fit confiance à sa mère et se dit que ça valait la peine de tenter le coup. Elle s'était promis d'aborder tous ces changements avec optimisme et cette bonne résolution s'appliquait aussi à la cuisine anglaise !

— Va pour le *fish and chips*, le nom me plaît bien ! s'exclama-t-elle en souriant.

Et elles partirent bras dessus, bras dessous chez leurs nouveaux voisins.

Emily n'avait jamais vu de cheveux aussi blonds ni de sourire aussi radieux que ceux de Chloé Minton. Et l'avantage, c'est que sa nouvelle voisine n'était pas timide pour un sou. Emily venait à peine de passer la porte que Chloé l'entraîna dans sa chambre.

— Alors, toi aussi, tu vas aller à l'école de Tenniel Street ? Super, on fera le chemin ensemble. Tu sais que la rentrée, c'est lundi ? Plus que trois jours de vacances.

Chloé s'affala sur son lit en poussant un long gémissement.

— Elle est bien, cette école ? voulut savoir Emily.

– Oui. Tout le monde est sympa, ne t'en fais pas. On a Mlle Welch cette année. Elle est trooop géniale. Je l'ai eue comme remplaçante pendant quelques semaines l'année dernière. Tu aimes la peinture ? Parce que c'est sa grande spécialité. Moi, je suis vraiment nulle en dessin.

Emily se rendit vite compte que Chloé n'était pas très facile à suivre. Elle parlait extrêmement vite et avec un drôle d'accent anglais, en plus. Mais au moins, avec elle, on était sûr de ne pas s'ennuyer. Emily était ravie : elle n'aurait qu'à traverser le couloir pour venir la voir !

– Si tu veux, ce week-end, je pourrai te faire visiter la ville, lui lança Chloé alors qu'elle était sur le point de rentrer chez elle avec sa mère. S'il fait beau, on pourra aller se balader au bord de la rivière et pique-niquer, et aussi louer une barque et…

– Chloé, Chloé ! la coupa Mme Minton en agitant les bras. Tu devrais laisser Emily se reposer quelques jours. Elle vient juste d'arriver, la pauvre. Entre le voyage et le décalage horaire, elle doit être morte de fatigue.

– Non, non, ça va, affirma Emily en souriant.

Mais, à peine sortie de chez les Minton, elle sentit la tête lui tourner.

Sa mère, la voyant pâlir, la prit par le bras.

– Viens, ma puce. Tu as besoin de manger quelque chose et de te reposer. Mme Minton m'a indiqué un *fish and chips* au coin de la rue. On va faire vite.

Dix minutes plus tard, elles étaient de retour, un cornet de papier journal bien rempli à la main. L'odeur était si appétissante qu'Emily ne put s'empêcher de grignoter une frite avant d'être arrivée. Elle était blonde, moelleuse et épaisse. Rien à voir avec les frites américaines, fines et croustillantes. Quand elle mordit dedans, le vinaigre lui picota la langue. C'était délicieux !

– Alors, verdict ? lui demanda sa mère.

– Miam ! Il se pourrait bien que le *fish and chips* devienne mon nouveau plat préféré !

2

– Emily ! Lève-toi, tu vas être en retard !

Entrouvrant un œil, Emily regarda autour d'elle. Ça lui faisait toujours bizarre de se réveiller dans cette chambre. Évidemment, elle reconnaissait sa housse de couette, son ours et toutes ses affaires. Mais, chaque matin, au réveil, elle était surprise. « Oh, c'est vrai. On a déménagé, on est à Oxford. » Elle s'assit sur le bord de son lit et se frotta les yeux. « Et aujourd'hui, c'est la rentrée ! » Elle sentit son estomac se nouer. Elle espérait que les autres élèves seraient aussi sympas que Chloé. Et qu'elle n'allait pas se faire remarquer dès le premier jour !

En sortant de la douche, elle enfila l'uniforme qu'elle avait acheté avec sa mère. Son premier uniforme d'écolière : un chemisier blanc, une jupe grise et un pull bleu marine à col en V.

Lorsqu'elle arriva dans la cuisine pour le petit déjeuner, sa mère tenta de la rassurer :

– Tu es magnifique, ma chérie. Ne t'inquiète pas, je suis sûre que tout va bien se passer.

Dix minutes plus tard, elles entendirent frapper à la porte. C'était Chloé.

– Je me disais qu'on pourrait aller à l'école ensemble. Tu es prête ?

Emily sourit. Heureusement que Chloé était là ! Au moins, elle n'était pas seule pour affronter tout cela.

– Oui, allons-y ! Au revoir, maman.

Mme Brown embrassa sa fille sur le front.

– Au revoir, mon cœur. Passe une bonne journée.

Chloé et Emily dévalèrent les escaliers puis traversèrent la pelouse fraîchement tondue de Tenniel College et, une fois dans la rue, prirent la direction de l'école primaire.

Sur le chemin, Chloé lui fit le portrait de tous les élèves de la classe.

– … N'écoute pas les bêtises que peut dire Jack Barton, c'est un nul, pareil pour Ben Davies…

Emily n'arrivait pas à se concentrer. Elle avait déjà oublié la moitié des noms. Elle appréhendait d'être « la nouvelle », et de ne connaître personne à part Chloé. Elle enfonça ses mains dans les poches de son manteau. « Dans sept heures, je serai de retour à la maison, se dit-elle pour se réconforter, et le jour de la rentrée sera derrière moi. »

– Et voilà, bienvenue dans ta nouvelle prison ! annonça Chloé en arrivant devant l'école.

Après avoir passé le portail, Emily découvrit une grande cour pleine d'enfants qui hurlaient et couraient dans tous les sens. Les garçons faisaient un match de foot, quelques filles sautaient à la corde. Et une bande de petits jouait à chat. Tout au fond se trouvait l'école, un grand bâtiment de brique rouge.

Emily se mordit les lèvres. Tout à coup, elle n'avait plus qu'une seule envie : retrouver sa bonne vieille école de Chicago, avec Sarah, Libby et toutes ses copines. Mais, au lieu de ça…

Chloé se précipitait déjà vers un groupe de filles en criant :

– Salut, Maddie ! C'était comment, l'Espagne ? Ruby, Tasha ! Salut ! Venez, je vais vous présenter Emily, ma nouvelle voisine. Et devinez quoi ? Elle fait de la danse.

Emily dut courir pour rattraper Chloé. Tous les regards se tournèrent vers elle, ce qui l'intimida beaucoup.

Une fille aux yeux bleus lui adressa un grand sourire.

– Bonjour, moi, c'est Maddie. Tu fais vraiment de la danse… ou Chloé raconte n'importe quoi, comme d'habitude ?

– Eh bien… oui, je prends des cours de danse classique, répondit Emily. C'est ma passion !

– C'est vrai ? Ma sœur Zoé aussi. Elle va à l'académie de danse Franklin, tu connais ?

Celle qui venait de parler était une petite brune, Tasha.

Emily sourit en entendant le nom de l'école de danse. Enfin quelque chose de connu !

– Oh ! Je vais y aller. Je commence mercredi.

– Je lui parlerai de toi, lui promit Tasha.

Chloé se tourna vers une fille blonde vêtue d'une veste rose.

– Voici Lucy, dit-elle. Et Ruby, ajouta-t-elle.

Ruby avait un visage rond très doux et les cheveux bouclés tombant sur ses épaules.

Enfin, Chloé lui présenta Rachel, une grande

fille brune très chic, la seule qui ne souriait pas. Emily remarqua que Rachel la regardait plutôt froidement, elle se demandait pourquoi.

— Salut, lança-t-elle au petit groupe, mais sa bouche était tellement sèche que le mot sortit dans un croassement.

Ruby lui fit un clin d'œil.

— Attention, à la prochaine récré, interrogation écrite sur les nom et prénom de chacune. Juste pour voir si tu as bien retenu ta leçon ! J'adore ton sac. Où l'as-tu trouvé ?

Sentant toujours le regard de Rachel fixé sur elle, Emily se mit à bafouiller :

— Dans une boutique de Chicago. J'habitais là-bas avant. Nous venons juste de déménager.

La fille qui s'appelait Lucy s'exclama :

— Ma mère aussi est américaine ! Tu vas voir, elle va vouloir que tu lui racontes ce qui est à la mode aux États-Unis en ce moment.

— Elle pourra en parler avec la mienne, répondit Emily en souriant. Elle…

Mais elle ne put terminer sa phrase, interrompue brutalement par Rachel.

— Venez, les filles. Holly est arrivée. On va pouvoir lui demander si sa mère est d'accord pour la soirée-pyjama.

Emily referma brusquement la bouche alors que les autres suivaient Rachel, partie à la rencontre d'une fille rousse qui venait de franchir le portail de l'école. Emily traîna derrière le groupe, hésitante. Il allait lui falloir du temps pour s'adapter, voilà qui était sûr. Elle ne put s'empêcher de penser à sa vieille bande de copines et à toutes les soirées-pyjama auxquelles elle avait participé. Dans combien de temps serait-elle invitée à une soirée-pyjama ici, à Oxford ?

D'un coup de sifflet, un professeur signala qu'il était temps d'entrer en classe.

Chloé revint à côté d'Emily pour lui montrer où se trouvait la leur.

— Il faut passer par cette porte puis à gauche.

Heureusement qu'elle était là ! Elle lui montra où accrocher son manteau, puis elles pénétrèrent dans une salle de classe ensoleillée.

Une femme brune aux cheveux courts était assise derrière le bureau. Un sourire chaleureux aux lèvres, elle se leva et s'adressa aux élèves :

— Bienvenue à tous. Comme beaucoup d'entre

vous le savent déjà, je suis Mlle Welch et nous allons passer toute une année ensemble. J'espère que nous allons bien nous entendre !

Emily sentit son cœur se serrer dans sa poitrine alors qu'elle s'installait. « Oh, j'espère aussi, se dit-elle. J'espère vraiment ! »

Les premiers jours d'Emily à l'école furent plutôt difficiles. Ça ne lui posait pas de problème d'avoir un nouveau professeur ou des devoirs à faire. Chloé avait raison, Mlle Welch était géniale. Emily avait adoré la leçon sur les rois et reines d'Angleterre. Que d'histoires passionnantes et de mystères, ça faisait rêver ! Non, ce qui était dur, c'était d'avoir l'impression d'être un poisson hors de l'eau.

En tant qu'Américaine, Emily se sentait vraiment différente des filles anglaises. Elle avait du mal à comprendre cet accent pointu et ces drôles d'expressions que tout le monde employait. C'était presque comme une langue étrangère ! Et les autres aussi trouvaient qu'elle parlait bizarrement !

Heureusement, la plupart des filles étaient sympas avec elle : Chloé, bien sûr, et aussi Ruby et

Tasha. Mais, pour une raison inconnue, Rachel semblait l'avoir prise en grippe dès le premier jour. Elle ne le lui avait pas dit en face, mais Emily l'avait entendue par hasard se moquer d'elle en l'appelant « notre grande ballerine » ou « Miss Tutu rose ». Pourtant elle ne s'était jamais vantée d'être une grande danseuse. Elle n'avait presque pas évoqué le sujet.

Rachel était drôle et populaire, mais elle se montrait aussi très autoritaire avec les autres. Emily voyait bien que personne n'osait la contredire. Elle essaya d'ignorer ses moqueries, mais ce n'était pas facile. Comme elle regrettait Sarah et ses autres copines de Chicago !

Il fallut attendre le mercredi, jour de sa première leçon à l'académie Franklin, pour qu'Emily retrouve le moral. Elle était impatiente d'enfiler à nouveau son justaucorps et ses chaussons de danse ! Elle s'était entraînée à la maison mais ce n'était pas pareil.

La danse était sa grande passion depuis qu'elle avait trois ans – et c'était aussi devenu son échappatoire. Lorsqu'elle dansait, Emily oubliait tout le reste, concentrée sur la position de son corps et la beauté des pas. Après l'effervescence du déménagement, elle avait hâte de retrouver les mouvements familiers et la discipline des cours de danse.

Sa mère la déposa à l'entrée de l'académie Franklin.

– Encore une nouveauté, lui dit-elle. Décidément, cette semaine aura été mouvementée pour toi, ma chérie !

Emily lui sourit, elle sentait déjà ses pieds fourmiller à l'idée de fouler le parquet du studio de danse. De la rue, elle apercevait les barres devant un gigantesque mur de miroirs. Comme tout cela lui avait manqué ! Elle eut un pincement au cœur en pensant à Mlle Lane, son ancien professeur. Lorsqu'elle lui avait dit au revoir, elle l'avait serrée dans ses bras en lui glissant : « Que vais-je devenir sans mon élève-vedette ? Je compte sur toi, Emily. Montre à ces danseurs anglais de quoi tu es capable ! »

Emily embrassa sa mère.

– Ça va aller, maman. Je suis tellement impatiente de reprendre la danse !

Elle se rendit avec les autres élèves dans les

vestiaires pour enfiler sa tenue de l'académie Franklin : un justaucorps noir, un sweat-shirt rose, des socquettes blanches et ses chaussons de danse adorés. Puis elle tira soigneusement ses cheveux pour les attacher en chignon avant de pénétrer dans le studio.

Emily était intimidée. Les autres étaient tous en train de bavarder en petits groupes, tout en lissant leurs cheveux devant le miroir ou en commençant à s'échauffer. Ils étaient une vingtaine, des filles de son âge pour la plupart, ainsi que deux gar-aéçons. Emily se demandait qui pouvait bien être Zoé, la sœur de Tasha. Peut-être celle avec les cheveux bruns et les mêmes beaux yeux bleus que Tasha ?

Emily respira un bon coup, décidée à aller dire bonjour aux autres, quand une grande femme fit son apparition. Ce ne pouvait être que Mme Franklin. Elle semblait plus âgée que Mlle Lane. On remarquait tout de suite qu'elle était danseuse classique à la façon dont elle se tenait, la tête haute et le dos bien droit.

Elle se dirigea vers sa nouvelle élève.

– Tu es Emily Brown ?

– Oui, bonjour, madame, répondit-elle timidement.

– Bienvenue, jeune demoiselle. Je suis très heureuse de t'accueillir parmi nous. Je suis certaine que tu te sentiras comme chez toi dans cette classe, mais si tu as besoin de quoi que ce soit, n'hésite pas à me faire signe.

– Merci.

Mme Franklin frappa dans ses mains.

– Bonjour, j'espère que vous êtes en forme aujourd'hui ! Bien. Je vous présente Emily Brown qui nous arrive tout droit des États-Unis. J'espère que vous lui ferez tous un accueil chaleureux.

– Bienvenue, Emily ! lança une fille aux cheveux châtains retenus par un ruban gris.

Emily lui sourit, soulagée de voir un visage amical. Deux autres filles la regardaient en souriant, mais la plupart l'observaient avec curiosité. Elle savait pourquoi : elles se demandaient quel était son niveau. Elle se souvenait de s'être posé exactement la même question à chaque fois que de nouveaux élèves arrivaient au cours de Mlle Lane à Chicago. « Je vais leur montrer de quoi je suis capable. Mlle Lane pourra être fière de moi ! »

– Merci, Mélissa, dit Mme Franklin à la fille qui avait salué Emily. Commençons, maintenant – les pliés d'abord. Tout le monde à la barre, s'il vous plaît.

Emily s'installa à la barre avec le reste de la classe, puis se plaça en première position, pointes de pieds tournées vers l'extérieur. Elle sentit ses muscles s'étirer et se concentra pour que sa position soit parfaite. Remarquant que certaines élèves continuaient de l'observer pour voir si elle était bonne danseuse, elle se redressa davantage.

Mme Franklin passait chacune des élèves en revue pour vérifier qu'elles tenaient bien la position.

– Tes talons devraient se toucher, Alice. Très joli, Emily. Michael, ouvre davantage tes hanches. Voilà, c'est ça. Tout le monde a les hanches et les épaules dans le même plan ? Bien. Maintenant, demi-plié. Les talons restent au sol pendant que vous fléchissez les genoux. Tournez le haut des cuisses le plus possible en dehors.

Emily prit une profonde respiration et descendit en demi-plié.

– Parfait ! Tenez la position. Maintenant, grand

plié. Laissez vos talons se soulever pendant que vous terminez de plier. Les cuisses parallèles au sol, Mélissa. Et… remontez doucement. Posez les talons dès que vous le pouvez.

Après les pliés, la classe fit une série de dégagés.

– À présent, je vais vous montrer un retiré. Ce nouveau mouvement est le début d'un exercice qu'on appelle développé, que nous verrons plus tard. Quelqu'un connaît-il le retiré ?

Emily leva timidement la main.

– On dégage le pied de la jambe libre, fléchie, et on le fait glisser le long de la jambe de terre pour le monter à la cheville ou au genou.

Elle avait appris les retirés lors de son dernier cours à Chicago. Du coin de l'œil, elle vit une fille blonde murmurer quelque chose à sa voisine. Emily se sentit rougir. Cette fille devait la prendre pour une « mademoiselle je sais tout ».

– Exactement, confirma le professeur en souriant. Je vais vous montrer…

– Merci à tous, à la semaine prochaine.

Emily n'avait pas vu passer le temps, le cours était déjà terminé ! Mme Franklin vint la trouver.

– Excellent, Emily. Toutes mes félicitations à ton professeur de Chicago. En fait, j'aimerais que, dès la semaine prochaine, tu te mettes devant à la barre, à côté de Mélissa, pour que les autres puissent prendre exemple sur toi.

En regagnant le vestiaire, Emily était au comble du bonheur. Elle avait toujours été la meilleure élève de son cours de danse à Chicago et était habituée aux compliments. Mais c'était toujours agréable qu'un nouveau prof la remarque et la félicite. Pendant qu'elle enfilait son bas de survêtement, Mélissa s'approcha d'elle.

– Hé, tu es douée, vraiment très douée.

– Merci. Tu danses très bien, toi aussi.

La fille avec les cheveux bruns et les yeux bleus les rejoignit.

– Salut, je suis la sœur de Tasha Matthews, Zoé. Tasha n'a pas arrêté de me parler de toi.

– Ah ! Je me doutais que tu étais Zoé, lui répondit Emily en souriant. Vous vous ressemblez beaucoup.

Tout le monde était tellement accueillant ! Enfin, presque tout le monde, se corrigea-t-elle intérieurement en remarquant que la blonde qui ne l'avait pas quittée des yeux pendant le cours lui jetait un regard assassin.

Mélissa était en train de se détacher les cheveux.

– Tu sais, c'est vraiment dommage que tu ne sois pas arrivée plus tôt dans l'année. Vu ton niveau, tu aurais pu passer les auditions pour les cours juniors de l'école du Royal Ballet. Mais c'est trop tard maintenant.

Emily se donna un dernier coup de brosse avant de répondre d'une voix légèrement hésitante :

– En fait, je suis venue en juin spécialement pour l'audition.

– Ah oui ? Et ?

– Et…, commença Emily en rangeant ses affaires de danse dans son sac pour ne pas regarder Mélissa en face. Et… je l'ai réussie.

Elle n'osait pas relever la tête. Elle ne voulait vraiment pas avoir l'air de se vanter.

À sa grande surprise, Mélissa battit des mains.

– Moi aussi ! Génial, on pourra y aller ensemble !

– Chouette !

Emily était vraiment heureuse. Elle avait enfin retrouvé le moral. La vie à Oxford n'allait peut-être pas être si affreuse que ça…

Cher Journal,

Je suis dans la baignoire et j'écris en faisant très attention de ne pas éclabousser les pages. Je sors juste de mon premier cours de danse à l'académie Franklin. C'était fabuleux ! Pour la première fois depuis que je suis en Angleterre, je me suis sentie chez moi quelque part. Dieu merci, la danse classique existe !

Je n'ai pas dit à maman que ça ne se passait pas très bien à l'école. Je ne veux pas l'inquiéter, elle a tellement de travail. Elle prépare déjà ses cours alors que l'année universitaire n'a même pas commencé. Elle a vraiment l'air heureuse. Et toujours pas de poussée de SEP !

3

– Oh, *yeah*! Ça s'rait pas Miss Tutu rose que v'là, mec ?

Emily retint un soupir. Elle venait à peine d'arriver dans la cour de récréation avec Chloé que Rachel l'accueillait en prenant un accent américain ridicule. Pas vraiment idéal pour commencer la journée.

Chloé éclata de rire.

– C'est le pire accent américain que j'aie jamais entendu, Rachel.

Emily essaya aussi de répondre avec humour. Elle s'exclama en prenant l'accent anglais le plus pincé possible.

– Mon Dieu, tout simplement effffroyaaable !

Mais Rachel, au lieu de rire ou même d'esquisser un sourire, leur tourna le dos pour parler à quelqu'un d'autre. Franchement, elle ne pouvait pas être un peu sympa, juste une fois?

À la fin de la matinée, la moitié de la classe pouffait de rire chaque fois que Rachel prononçait un mot avec cet accent américain qu'elle n'avait pas cessé d'utiliser. Emily s'efforçait de rester calme, mais elle sentait la moutarde lui monter au nez. OK, elle avait l'accent américain… et alors?

À l'heure du déjeuner, heureusement, Tasha discuta avec elle. Elle lui raconta que Zoé l'avait trouvée très bonne danseuse… et très sympa aussi.

Emily lui sourit.

— Merci, c'est gentil. Je…

Mais Rachel lui coupa la parole en donnant un coup de coude à Tasha.

— J'avais oublié que ta sœur faisait de la danse classique. Ne me dis pas que tu veux t'y mettre toi aussi!

— Aucun risque! s'esclaffa Tasha. Ils ne voudraient pas de moi! Je te signale que j'ai deux pieds gauches, au cas où tu ne l'aurais pas remarqué.

— Ouf! répliqua Rachel en feignant le soulagement. On a assez d'une grande ballerine dans la classe.

– Je ne suis pas une grande ballerine !

Trop tard, Rachel les avait plantées là, non sans lui avoir jeté un regard méprisant.

– Ne l'écoute pas, lui conseilla Tasha.

Mais c'était plus facile à dire qu'à faire.

L'après-midi, elles jouèrent au « netball ». C'était une sorte de basket-ball apparemment très à la mode en Angleterre mais dont Emily n'avait jamais entendu parler.

Il fallait lancer le ballon dans un cerceau, comme au basket, mais il était interdit de courir avec le ballon ou de dribbler, et on ne pouvait pénétrer dans certaines parties du terrain qu'à des conditions très précises, et…

Tout cela se mélangeait dans sa tête. En principe, elle était plutôt bonne en sport, elle courait vite et elle était musclée. Mais là, elle s'embrouillait avec les règles : elle courait avec la balle et la faisait à chaque fois rebondir comme au basket.

Évidemment, Rachel était excellente au netball.

– Allez, Miss Tutu rose, attrape !

Emily faillit perdre l'équilibre en recevant la balle de plein fouet.

Mlle Welch siffla pour interrompre le jeu.

– Rachel Travers, encore un coup comme celui-là et tu sors !

En passant à côté d'Emily, Rachel souffla :

– Alors, tu essaies de m'attirer des ennuis, Tutu rose ?

Sur le chemin du retour, Emily donna des coups de pied dans tout ce qui traînait sur le trottoir. Il fallait voir le regard que lui avait jeté Rachel à la fin de la partie. Mais quel était son problème ? Elle était pourtant gentille avec les autres, tout le monde la trouvait drôle et sympa.

– Rachel ne m'aime pas, constata amèrement Emily.

– Oh, ne t'en fais pas pour ça, la consola Chloé. Tu sais, je connais Rachel depuis que j'ai cinq ans. Elle est sympa, vraiment, mais il faut toujours qu'elle soit le centre de l'attention générale. Tu arrives, tu es une nouvelle tête et tout le monde s'intéresse à toi, ça l'énerve. Ne fais pas attention à elle. Elle finira bien par se calmer et vous serez très copines, tu verras !

Emily ne répondit pas. Elle n'était pas sûre d'avoir envie de devenir copine avec Rachel. Pas après tout ça! En voyant sa tête, Chloé passa le bras autour de ses épaules.

– Ne t'inquiète pas. Toutes les autres te trouvent cool.

Emily réussit à lui sourire.

– Mmm… merci, Chloé.

Son amie avait sans doute raison. Rachel allait peut-être finir par se lasser de son petit jeu. En tout cas, elle l'espérait!

Le lendemain, Rachel était absente, et la matinée passa beaucoup plus vite que d'habitude. En plus, Emily commençait à bien s'entendre avec Ruby et Tasha.

En cours d'arts plastiques, elle put constater qu'elles étaient aussi peu douées que Chloé en peinture.

En voyant la feuille de Ruby, couverte de taches noires et blanches, elle s'esclaffa :

– Mais… qu'est-ce que c'est que ça ?

– Une vache.

– Elle ressemble à un pingouin, ta vache, pouffa Tasha.

Secouée par un fou rire, elle fit malencontreusement glisser son pinceau le long de sa peinture.

– Oups ! Mon chat a une moustache extra longue.

– Maintenant, il a aussi la queue tachetée ! gloussa Ruby en éclaboussant la feuille de sa copine de peinture.

– Ah non ! hurla Tasha.

Et elle barbouilla le travail de Ruby de gros coups de pinceau marron. Emily et Chloé n'arrivaient plus à respirer tellement elles riaient.

– En fait, c'est mieux comme ça, hoqueta Chloé entre deux éclats de rire. Ta vache a beaucoup plus d'allure avec ses taches marron, Ruby.

– Et cette queue tachetée donne un charme particulier à ton chat, Tasha, affirma Emily.

– Bon, eh bien, on va arranger un peu ton dessin aussi, Emily, proposa Ruby, le pinceau à la main.

– Ah non, pas de marron ou de noir sur ma danseuse ! C'est la fée Dragée, elle est tout en rose !

– Je ne sais pas, fit Tasha, pensive, quelques rubans marron égayeraient un peu ce tutu…

– Tu n'oseras pas, la défia Emily en se levant pour protéger son œuvre.

Elle repartit dans un fou rire. Ses copines

anglaises étaient complètement folles! Pour la première fois depuis qu'elle avait passé le portail de cette école le lundi précédent, Emily s'amusait vraiment.

4

– Covent Garden !

Emily agrippa le bras de sa mère en entendant l'annonce de l'arrêt. Elles étaient à Londres pour le premier cours juniors. Emily avait l'impression que des années s'étaient écoulées depuis l'audition, en juin, et elle avait hâte de passer à nouveau la porte de l'école du Royal Ballet.

En découvrant le quartier animé de Covent Garden, Emily n'en crut pas ses yeux.

À chaque coin de rue, une surprise les attendait. Elles croisèrent un clown qui jonglait avec des torches enflammées. En face, une femme en combinaison gris argenté, le visage et les cheveux recouverts de maquillage argenté, se tenait parfaitement immobile sur une petite estrade, comme une statue. À intervalles réguliers, elle bougeait mécaniquement, comme un robot, et la foule qui s'était attroupée autour d'elle poussait des « oh ! » et des « ah ! ».

Un peu plus loin, Emily et sa mère passèrent devant un groupe de musiciens qui jouaient de la guitare, puis elles tournèrent au coin d'une rue et voilà, elles étaient arrivées. Emily en eut le souffle coupé.

– Waouh !

Le spectaculaire Aspiration Bridge, le pont qui enjambait Floral Street pour relier l'école du Royal Ballet à l'Opéra de Londres, se trouvait juste au-dessus de leurs têtes. La splendide spirale de verre et de métal étincelait au soleil, aussi impressionnante que lorsqu'elle l'avait vue pour la première fois, en juin.

Emily se pinça pour s'assurer qu'elle n'était pas en train de rêver. C'était trop beau pour être vrai. Jamais elle n'aurait cru possible de venir prendre des cours ici, dans la plus grande école de ballet du monde !

– Eh bien, Emily, tu es drôlement silencieuse, remarqua sa mère alors qu'elles entraient dans le hall d'accueil.

Emily cligna des yeux et se mit à rire.

– Non, ça va… J'ai l'impression d'être au beau milieu d'un rêve.

Elle se hissa sur la pointe des pieds pour embrasser sa mère et ajouta :

– Va faire les boutiques, on se retrouve tout à l'heure.

Sa mère la serra très fort dans ses bras.

– Dites donc, mademoiselle Emily Brown, depuis quand êtes-vous devenue si adulte ? D'accord, je m'en vais. Amuse-toi bien, mon cœur. Et n'oublie pas, je suis extrêmement fière de toi.

Elle déposa un baiser sur son front.

– Merci, maman.

Emily se dirigea vers les vestiaires.

En entrant, elle reconnut l'odeur de la laque. Des filles s'affairaient devant un miroir afin de s'assurer que leurs cheveux étaient bien tirés. Certaines enfilaient leur justaucorps en prenant garde à ce qu'il ne fasse pas de plis, d'autres ajustaient l'élastique de leurs chaussons avec application. Tout le monde semblait se connaître à part deux filles qui paraissaient un peu nerveuses. Des nouvelles, sans doute.

– Hé, Emily ! Besoin d'aide pour tes tresses ?

C'était la voix de Mélissa. En se retournant, Emily vit que son amie avait deux nattes relevées avec des nœuds sur le dessus de la tête… Et que toutes les filles étaient coiffées de la même façon.

– Oh… je ne savais pas.

– C'est la coiffure des juniors, lui expliqua Mélissa en prenant des épingles à cheveux. Tu ne voudrais pas te faire remarquer dès le premier jour ?

– Sûrement pas, répondit Emily.

Elle s'assit pour lui permettre de la coiffer, soulagée que son amie l'ait sauvée d'une situation embarrassante.

Quelques minutes plus tard, en entrant dans le studio de danse, Emily avait le cœur battant. Le grand moment était arrivé. Chacune des élèves présentes dans cette salle était une excellente danseuse. Elles avaient toutes été sélectionnées pour leur talent et leur potentiel, choisies parmi des milliers de postulantes pleines d'espoir. Ce ne serait pas comme au cours de Mlle Lane, à Chicago, ou à l'académie Franklin, où Emily savait bien qu'elle était l'une des meilleures danseuses, où elle se savait spéciale. Ici, tout le monde était doué, et elle allait devoir travailler plus dur que jamais pour sortir du rang.

Emily se redressa de toute sa hauteur. Elle était bien décidée à briller… briller comme une étoile !

Leur professeur les attendait. Elle était jeune et tellement belle ! Ses cheveux noirs coupés au carré suivaient les moindres mouvements de sa tête. Elle portait une jupette lilas vaporeuse sur un collant et des jambières noirs.

– Bonjour à toutes. Je suis Mlle Taylor, votre professeur. Pour celles d'entre vous qui viennent d'arriver, j'imagine que vous êtes impressionnées de vous retrouver dans ces lieux. Mais il est important que vous vous amusiez même si, bien sûr, il faudra aussi travailler très dur. Surtout, n'ayez pas peur de commettre des erreurs ou de mal faire. Vous êtes ici pour apprendre. Vous êtes d'excellentes danseuses, mon rôle est de vous rendre encore meilleures, d'accord ?

Pour toute réponse, il n'y eut que quelques murmures, mais Emily avait la gorge trop sèche pour émettre le moindre son.

Elle commença à se détendre pendant l'échauffement. Elle avait répété ces exercices des centaines de fois et son corps les connaissait parfaitement. Pour l'instant, tout allait bien.

Lorsque tout le monde fut échauffé, Mlle Taylor tapa dans ses mains.

– J'aimerais que nous commencions par la révérence. Je sais que vous avez l'habitude de la faire en fin de cours, mais votre premier cours chez les juniors du Royal Ballet est une étape importante de votre vie de danseuse. Je voudrais que cette révérence marque votre entrée dans le monde du ballet. Imaginez-vous le jour où, je vous le souhaite, vous la ferez sur scène, sous les applaudissements du public.

Emily et les autres élèves ouvrirent les bras, en tendant la pointe du pied droit sur le côté, puis elles prirent appui sur ce pied en gardant le gauche en arrière et se penchèrent en avant en une belle révérence. La révérence permettait aux danseurs de saluer le public à la fin d'un spectacle, mais également aux élèves de remercier leurs professeurs à la fin d'un cours pour leur attention et leurs encouragements.

– Très bien, commenta Mlle Taylor. Vraiment très bien. Passons à la barre, maintenant.

Après une série d'exercices, elles passèrent à la danse classique proprement dite.

Elles travaillèrent les croisés à la barre. Mlle Taylor les guidait tout en se mettant en position sans aucun effort.

— Votre corps doit former une seule ligne face au public. Comme ceci !

Emily fut impressionnée par la grâce de son professeur. Chacun de ses mouvements était si naturel et si fluide !

Elles apprirent le croisé devant. Un bras, « le bras fond de scène », comme l'appelait Mlle Taylor, était levé en un gracieux arrondi tandis que l'autre restait en seconde, et l'on tendait la jambe vers un public imaginaire.

Pour le croisé derrière, on tournait le visage vers le public en tendant cette fois la jambe vers l'arrière.

Après la danse classique, elles passèrent à la danse de caractère. Il fallut se changer pour mettre des jupes froncées et des chaussures à talons plats. Pendant ce temps, les garçons, qui suivaient un cours parallèle, vinrent les rejoindre.

— La danse de caractère est basée sur des danses traditionnelles européennes, expliqua Mlle Taylor.

Même si ce n'est pas de la danse classique, les mouvements sont semblables. Il faut toujours les exécuter avec grâce, en vous grandissant le plus possible ! Tout cela nous vient d'une longue tradition de danse populaire. Si nous ne l'enseignons pas aux jeunes, elle risque de disparaître. Vous allez vous mettre par deux…

Emily se retrouva avec un garçon prénommé Matt. Il était très bon danseur, rapide et élancé.

À la fin du cours, Emily était en sueur. Elle avait étiré son corps dans tous les sens et les muscles de ses jambes la brûlaient. Mais, malgré tout, elle était folle de joie. Elle avait envie de faire des pirouettes, encore et encore. C'était tellement exaltant de danser avec des partenaires aussi talentueux et, en plus, à l'école du Royal Ballet !

Cher Journal,

Aujourd'hui, j'ai pris mon premier cours à l'école du Royal Ballet. C'était génial ! Je n'en reviens toujours pas. Moi, Emily Brown, j'ai suivi un cours à l'école du Royal Ballet ! Je me le répète sans arrêt !

Je pense m'en être bien sortie. Mlle Taylor m'a fait un signe de tête quand nous avons quitté le studio. Ça vaut le plus beau des compliments. Je suis impatiente de pouvoir raconter tout ça à Sarah. J'ai reçu un e-mail d'elle aujourd'hui avec tous les potins de Chicago. Je vais aussi envoyer un message à Mlle Lane. Elle sait quelle importance la danse a pour moi.

J'essaie de ne pas m'emballer trop vite mais ce serait vraiment fabuleux d'être à plein temps au Royal Ballet l'année prochaine ! Sur leur site Internet, j'ai vu que les élèves de onze à quinze ans étaient accueillis dans un endroit appelé « White Lodge », une école entourée d'un grand parc dans la banlieue de Londres. C'est un internat où l'on suit à la fois des cours de danse et des cours classiques de maths ou d'anglais.

Et tu sais quoi ? Je commence à me dire que j'y serai peut-être l'année prochaine.

La joie d'Emily fut malheureusement de courte durée. Rachel était de retour en classe la semaine suivante, et elle semblait plus déterminée que jamais à lui gâcher la vie. Lorsqu'elles refirent une partie de netball, Emily avait assimilé les règles et joua beaucoup mieux. Elle marqua deux paniers et, grâce à elle, son équipe l'emporta même contre celle de Rachel.

Bien entendu, celle-ci était furieuse.

– Espèce de crâneuse ! cria-t-elle à l'adresse d'Emily.

Cette fois, Chloé intervint :

– Oh, arrête, Rachel ! Ça suffit maintenant.

Mais vu le regard qu'elle lança à Emily, Rachel ne semblait pas prête à s'arrêter là.

Emily accueillit la fin de la journée avec soulagement. En arrivant dans son quartier, le parfum des roses blanches qui ornaient l'entrée de chaque bâtiment la mit de bonne humeur. Elle commençait à se sentir chez elle à Oxford. À chaque coin de rue, Emily avait envie de prendre une photo pour l'envoyer à Sarah. Elle aimait les grandes pelouses qui bordaient la rivière, les couchers de soleil derrière les clochers et les illustres collèges, où, depuis des centaines d'années, des étudiants avaient tant appris. Quelle fabuleuse source d'inspiration !

Emily monta les marches quatre à quatre et ouvrit la porte d'entrée de chez elle.

– Maman, c'est moi !

La radio était allumée mais personne ne répondit.

– Maman, tu es là ?

Silence. Sa mère était-elle partie faire des courses ? Ou peut-être était-elle sous la douche ? Elle ne l'entendait sans doute pas à cause de la musique.

Il y eut un bruit sourd venant de la cuisine. Quelque chose était tombé sur le sol.

– MAMAN ! hurla Emily en courant dans le couloir. Ça va ?

En la voyant appuyée contre le plan de travail, toute raide et tremblante, Emily sentit un sanglot monter dans sa gorge. Une assiette en miettes gisait à ses pieds.

– Ça va, chérie, articula sa mère avec peine. C'est juste…

Emily la prit aussitôt dans ses bras, tentant de calmer ses tremblements et de la réconforter malgré sa propre angoisse.

– Ce n'est rien, maman, je suis là.

Mme Brown appelait ses poussées de sclérose en plaques ses « frissons » ou ses « secousses », mais sa fille était consciente que c'était plus grave. Elle s'était documentée et savait que la sclérose en plaques affectait tout le système nerveux, même si les symptômes différaient d'une personne à l'autre. Sa mère souffrait de tremblements, de raideurs et, si la poussée était forte, de problèmes d'articulation. Pour d'autres, la sclérose en plaques pouvait se manifester par des pertes d'audition, de fortes douleurs et même, parfois, une cécité temporaire.

Mme Brown tenta de détendre l'atmosphère alors qu'elle se redressait.

– Ouf! C'est passé maintenant. Je suis vraiment désolée de t'avoir effrayée.

– Tu ne m'as pas fait peur, mentit Emily.

C'était loin d'être la première poussée à laquelle elle assistait, mais c'était chaque fois aussi dur de voir sa mère incapable de s'empêcher de trembler. Cependant, elle ne voulait pas que sa mère le sache.

– Assieds-toi pendant que je nettoie la cuisine, lui conseilla Emily. Je m'occuperai du dîner après.

– Oh non, pas question! répondit-elle, redevenue elle-même. Tu sais quoi? Personne ne va faire la cuisine ce soir. Que dirais-tu d'un curry de légumes? Il y a un restaurant indien dans Tenniel Street.

Emily sourit tristement.

– Bonne idée, maman.

Mme Brown semblait reprendre des forces. La poussée n'avait pas été si grave mais Emily était sous le choc. Sa mère était tellement en forme ces derniers mois qu'elle avait presque fini par croire qu'elle était guérie.

Pourtant Emily savait qu'il n'y avait aucun remède : sa mère devrait toujours vivre avec cette menace. Depuis quelque temps, elle s'était laissée aller à oublier que sa mère était malade. Apparemment, elle avait eu tort.

5

– Tendez-moi ces pointes de pied ! criait Mlle Taylor. Tendues !

C'était le quatrième cours des juniors et la classe entière travaillait plus dur que jamais. Emily tendait du mieux qu'elle pouvait le pied jusqu'à l'extrémité de chacun de ses orteils. La sueur ruisselait sur son visage. Et le moindre muscle de ses jambes la brûlait. « Étirer au-delà de la douleur », se répétait Emily. Et dire que certaines personnes (comme Rachel !) pensaient que la danse se résumait à se pavaner en tutu rose ! La danse classique est une discipline qui demande des années de travail acharné. Il faut constamment repousser ses limites physiques.

– Beau travail. On va travailler le pas de valse maintenant, annonça le professeur. Emily, Mélissa, Grace, passez en premier, s'il vous plaît.

Emily courut vers le fond de la salle et prit place entre ses deux camarades. Elle était devenue très amie avec Mélissa. Après sa poussée de sclérose en plaques, comme sa mère ne s'était pas sentie capable de l'accompagner à Londres, Emily avait fait le trajet en train avec Mélissa et sa mère. Elles n'avaient pas arrêté de papoter.

– Et… UN, deux, trois, UN, deux, trois…

Mlle Taylor battait la mesure.

– Parfait, Grace. Belle attitude, Emily. Plus droite, Mélissa.

Emily adorait le pas de valse. Avec Mélissa et Grace, elle valsait d'un coin à l'autre du studio, UN, deux, trois, UN, deux, trois… Leurs chaussons de danse glissaient sur le parquet. Elle essayait de garder la tête bien droite comme leur professeur le leur avait montré, d'ouvrir les jambes au niveau des hanches, de positionner correctement ses bras, et – comme toujours – de tendre la pointe des pieds.

– Bien, commenta le professeur en hochant la tête.

Emily sourit à ses amies. Un « bien » de Mlle Taylor était la plus belle des récompenses à toutes leurs souffrances.

Emily retourna à la barre pour patienter pendant le passage des autres élèves. Elle était trempée et ne pouvait empêcher ses jambes de trembler tant elle était exténuée. « Quel épouvantail ! » se dit-elle en voyant son reflet dans le miroir. Des mèches de cheveux blonds s'étaient échappées de sa coiffure et l'élastique de son justaucorps blanc s'était retourné. Mais tout cela prouvait qu'elle s'était donné du mal !

Emily suivit des yeux le dernier trio. Mlle Taylor les fit recommencer encore et encore jusqu'à être satisfaite de leur travail. C'était une véritable perfectionniste. Elle pouvait repérer un pied mal placé ou un bras un peu relâché de l'autre bout de la pièce.

– C'est beaucoup mieux, mesdemoiselles. Vous avez très bien dansé, aujourd'hui. Terminons par une belle révérence, si vous le voulez bien.

La pianiste commença à jouer et toutes les élèves se mirent en position. Elles levèrent les bras et firent leur révérence face à Mlle Taylor, puis face à la musicienne.

Le professeur prit une pile d'enveloppes sur le piano avant de s'adresser aux élèves :

– Attendez un instant, je voudrais vous donner ceci. Toutes celles qui auront onze ans avant fin août doivent prendre une enveloppe.

La salle se mit à bourdonner de chuchotements excités.

Emily, qui se demandait ce que pouvaient bien contenir ces enveloppes, tendit l'oreille.

– Les formulaires pour la Lower School !

Emily frissonna. La Lower School ! Il s'agissait du collège de l'école du Royal Ballet. Beaucoup de grands danseurs étaient passés par là. Et voilà qu'elle tenait entre ses mains son formulaire d'inscription pour l'audition !

L'enveloppe était épaisse. Emily se souvenait du jour où elle avait consulté le site Internet de l'école avec sa mère à Chicago. Elles s'étaient dit qu'un jour, peut-être, Emily irait étudier à la Lower School. Mais elle avait l'impression que ça remontait à des siècles, et depuis la dernière poussée de sclérose en plaques de sa mère, elle n'était plus tout à fait sûre de vouloir la laisser pour aller vivre en internat.

Les yeux brillants, Mélissa se dirigea vers les vestiaires avec Grace et Emily.

– Ce doit être les formulaires pour le concours.

– Oui! Oh, là, là! Je suis déjà morte de trouille, avoua Grace.

– Et moi alors! renchérit Mélissa en s'éventant avec l'enveloppe. Vous imaginez la panique au moment de l'audition? Le concours d'entrée de la Lower School est parmi les plus difficiles au monde!

Emily fourra l'enveloppe dans son sac.

– Ce sera encore plus effrayant pour les candidates qui ne suivent pas les cours juniors, rappela-t-elle à ses amies. Vous connaissez bien mieux l'école du Royal Ballet qu'elles.

Mélissa fronça les sourcils.

– Vous? Tu veux dire « nous »?

Emily se baissa pour enlever ses chaussons. Elle était écarlate.

– Euh… oui.

– Tu vas renvoyer le formulaire, hein, Emily? insista Mélissa.

Emily tripotait ses chaussons, cherchant à dissimuler son trouble.

– Je dois d'abord en discuter avec ma mère, finit-elle par dire.

– Ah oui, bien sûr! s'écria Mélissa en virevoltant

comme une folle dans la pièce. Tu imagines : des cours de danse tous les jours ! Ce serait fantastique !

– Ce serait bien, répondit Emily en souriant, la gorge nouée.

Évidemment, ce serait fabuleux, un rêve devenu réalité, une chance incroyable, mais pouvait-elle vraiment postuler, sachant que cela voulait dire quitter la maison… et sa mère ?

Elles se changèrent en quatrième vitesse puis dévalèrent les escaliers pour rejoindre Mme Wilson.

– Maman, regarde ! hurla Mélissa en brandissant l'enveloppe.

– Est-ce bien ce que je crois ? J'étais sûre que vous alliez bientôt les recevoir. On ouvrira ça tranquillement dans le train. On est déjà en retard.

Elles sortirent toutes les trois et traversèrent la foule pour atteindre la station de métro de Covent Garden. Dans la rue, Mélissa et Emily aperçurent Matt Haslum, le partenaire d'Emily pour la danse de caractère. Il avait également la fameuse enveloppe à la main.

– Hé, les filles ! Vous aussi, vous avez vos formulaires pour la Lower School ?

Emily s'efforça de paraître enjouée.

— Oui, oui !

— Et tu vas t'inscrire ? demanda Mélissa à Matt.

— Évidemment ! Comme tout le monde.

Le cœur d'Emily se serra. Ses amis allaient tous remplir le formulaire, passer l'audition, et peut-être recevoir la lettre d'admission dont ils rêvaient tant, disant : « Oui, vous avez réussi, vous êtes admis à la Lower School. »

Matt la dévisagea, l'air inquiet.

— Ça va, Emily ?

— Oui, oui. Le cours m'a épuisée, c'est tout.

Mme Wilson prit les filles par les épaules.

— Allez, mesdemoiselles. Si on continue comme ça, on va rater notre train.

Mélissa se mit à courir devant en criant :

— Hé, dépêchez-vous, les limaces ! J'ai hâte d'ouvrir mon enveloppe, moi !

À peine installée dans le train, Mélissa déchira son enveloppe. Celle-ci contenait une brochure sur l'école et des formulaires de toutes sortes qu'elle parcourut rapidement.

— Vous avez vu tout ce qu'il y a à remplir ! Maman, on peut commencer maintenant ?

– Du calme, ma chérie. Il faut d'abord en parler à ton père.

Mélissa ouvrit la brochure et se plongea avec délices dans les pages de papier glacé.

– Oh, il y a des photos ! Emily, regarde, c'est le dortoir. Et là, le studio Margot-Fonteyn. Il est immense ! Waouh ! Tu imagines ?

Emily se pencha pour mieux voir les photos que Mélissa lui montrait. L'école était située dans un magnifique bâtiment de pierre blanche, qu'on appelait White Lodge, au milieu d'un grand parc arboré.

Mme Wilson commença à lire par-dessus l'épaule de sa fille la description qui accompagnait la photographie :

– « Construit en 1727 pour le bon plaisir du roi George II, White Lodge était auparavant un pavillon de chasse. Il abrite la Lower School du Royal Ballet depuis 1955… » Les filles, c'est grandiose !

Mélissa sautillait sur son siège.

– J'ai hâte de montrer ça à Mme Franklin ! À ton avis, qu'est-ce qu'elle va dire ?

Emily ravala la boule qu'elle avait dans la gorge.

– Elle va sûrement s'exclamer : « Très joli ! »

Mélissa éclata de rire.

– « Très, très joli », répéta-t-elle en imitant leur professeur.

Elle tourna les pages de la brochure.

– Comme c'est beau… Emily, tu as vu leurs tutus ? Tu t'imagines dans un dortoir comme celui-là ? On pourra peut-être demander à avoir des lits côte à côte.

Emily ne répondit rien, se contentant de sourire en hochant la tête. Si jamais elle ouvrait la bouche, elle craignait de se mettre à pleurer. Elle appuya son front contre la vitre pour regarder défiler les rues de Londres. Elle avait de plus en plus de mal à retenir ses larmes.

Bien sûr, elle aurait adoré lire la brochure avec Mélissa et imaginer sa vie à White Lodge. Mais ce n'était pas la peine : elle ne pouvait pas laisser sa mère seule à la maison alors que sa maladie revenait.

6

Lorsqu'elle arriva chez elle, sa mère, qui préparait le dîner, lui demanda comment s'était passée sa journée.

Emily lui raconta son cours de danse en détail puis, le cœur lourd, posa l'enveloppe de la Lower School sur la table.

– Mlle Taylor nous a distribué ça.

Sa mère parut surprise.

– Tu n'as pas l'air ravi. Qu'est-ce que c'est ?

– Rien, juste des papiers sur la Lower School. Mais je ne vais pas les remplir. Je ne veux pas y aller tant que tu es malade.

– Malade ? Tu veux parler de la poussée de la semaine dernière ?

Emily acquiesça.

– Je veux rester avec toi. C'est un internat et...

Elle avait à nouveau les larmes aux yeux. Sa mère fit le tour de la table pour la prendre dans ses bras.

– Hé ! Tout va bien, mon cœur. Il n'est pas question que tu sacrifies tes rêves pour rester ici avec moi…

Sa voix se brisa tandis qu'elle posait son menton sur la tête de sa fille.

– … je ne me le pardonnerais jamais.

La gorge d'Emily se serra davantage, elle se laissa aller dans les bras de sa mère.

– Oui, mais…

Amy Brown la prit par les épaules et la regarda droit dans les yeux.

– Emily, peux-tu me jurer que tu n'as aucune envie de poser ta candidature pour cette école ?

Emily se mordit les lèvres. Elle ne pouvait pas mentir, sa mère la connaissait trop bien.

– Je… Bien sûr que si, mais…

– Il n'y a pas de mais, répliqua sa mère en se saisissant de l'enveloppe pour l'ouvrir.

Elle en sortit les formulaires qu'elle déposa sur la table devant sa fille.

– Et si tu ne le fais pas, c'est moi qui m'en chargerai !

Emily sauta au cou de sa mère et la serra fort, très fort.

— Maman, je t'adore !

Après dîner, Emily envoya un mail à Sarah afin de lui raconter les derniers rebondissements de sa nouvelle vie. Puis, elle monta dans sa chambre pour se plonger dans la lecture de la fameuse brochure.

Elle s'imaginait déjà dans l'immense dortoir. Pourtant, elle adorait sa nouvelle chambre, qu'elle avait entièrement refaite avec sa mère. Elles avaient peint les murs en mauve, accroché des photos de ses amis de Chicago au-dessus de son lit, un immense poster du *Lac des cygnes* près du bureau. Et, surtout, le père de Chloé les avaient aidées à installer sa barre le long du mur. Mais elle rêvait de dormir à White Lodge, au royaume de la danse !

Cher Journal,

Je n'arrive pas à dormir. Je viens de commencer à remplir le formulaire de la Lower School ! Je n'arrête pas d'y penser. Dire que je vais peut-être aller là-bas, et y vivre ! J'en ai la chair de poule. Mélissa m'a raconté que les élèves de la Lower School dansent parfois sur scène avec le Royal Ballet – LA PLUS GRANDE COMPAGNIE DE DANSE CLASSIQUE AU MONDE !

7

– Emily ! Ma mère veut bien que je fasse une fête pour mon anniversaire… et même avec des garçons !

Chloé était passée chercher son amie en avance pour aller à l'école, un lundi matin en plus. Elle devait vraiment avoir hâte de lui annoncer la nouvelle.

– C'est vrai ? Et tu sais qui tu vas inviter ?

– C'est tout le problème. J'ai fait une liste. Dix filles et seulement trois garçons : Daniel, Tom et Joshua, les seuls qui ne soient pas complètement idiots. Tu en vois d'autres ?

– Pourquoi pas Zac ? suggéra Emily alors qu'elles sortaient de l'immeuble.

– Zac ! Beurk, pas question. Tu es folle ou quoi ?

– Joe alors, il est sympa.

Joe était un garçon un peu timide qui avait aidé Emily sur un problème de maths la veille.

– Pourquoi pas, mais Rachel ne l'apprécie pas beaucoup.

Cette remarque agaça Emily. Encore Rachel ! Fallait-il toujours tout faire en fonction d'elle ?

– Peut-être, mais Rachel ne m'aime pas non plus et tu m'invites quand même, non ? répliqua-t-elle.

Chloé lui prit la main.

– Évidemment ! Tu es même la première de ma liste ! C'est juste que… tu connais Rachel.

« Plutôt, oui ! » pensa Emily. Cette peste continuait de s'acharner sur elle. La veille, Mlle Welch leur avait donné un dossier de sciences à faire à deux. Et pour le plus grand malheur d'Emily, elle n'avait rien trouvé de mieux que de la mettre avec Rachel. Vu la tête que cette dernière avait faite, ça ne lui faisait pas vraiment plaisir non plus.

– Tu as intérêt à assurer, Emily, avait grogné Rachel.

Emily n'avait pu s'empêcher de répondre :

– Ça vaut aussi pour toi !

Mais pour qui se prenait-elle ?

En arrivant à l'école, Emily et Chloé ôtèrent leurs manteaux et se ruèrent dans leur classe.

Mlle Welch fit rapidement l'appel, avant d'annoncer :

– Ce matin, nous allons commencer notre projet de sciences. Installez-vous par paires pour travailler ensemble sur les polycopiés.

Tout le monde se leva pour changer de place, tout le monde sauf Rachel. Au lieu de cela, elle resta affalée sur sa chaise et poussa un grand soupir.

– Je suis vraiment obligée de m'asseoir à côté d'Emily ? On ne pourrait pas choisir nous-mêmes notre partenaire ?

Mlle Welch leva les yeux au ciel.

– Rachel, tu devrais te réjouir d'être avec Emily. Elle est sérieuse et appliquée. D'ailleurs, certains élèves de cette classe devraient prendre exemple sur elle. Maintenant, je ne veux plus aucune remarque de ce genre, c'est compris ?

– Oui, mademoiselle, murmura Rachel.

Mais elle lança un regard assassin à Emily en venant s'asseoir à côté d'elle.

*

– Passons en seconde position, s'il vous plaît. Pliés !

On était mercredi, le jour du cours de danse à l'académie Franklin.

Emily était à sa place habituelle à la barre, deuxième, juste derrière Mélissa. Elle ouvrit bien les pieds en dehors, puis les écarta. Gardant une main posée légèrement sur la barre, elle tendit l'autre bras avec grâce. Au rythme de la musique, la rangée de danseurs plia les genoux et descendit doucement.

– Plus fluide, s'il vous plaît. Pas de mouvements saccadés !

Emily sentait les muscles de l'intérieur de ses cuisses travailler alors qu'elle passait de plié à demi-plié. Petit à petit, l'enchaînement familier des exercices lui faisait oublier ses soucis.

Mme Franklin parcourait le studio, passant derrière chaque danseur pour corriger ses mouvements ou l'encourager.

– Beau port de tête, Nelly ! Attention à tes genoux, Zoé… Ouvre-les bien ! C'est ça.

Elle s'arrêta au niveau d'Emily.

– Très joli !

Nelly lui lança un regard glacial mais Emily s'en moquait. Elle était tellement fière. Elle lui adressa un grand sourire qui sembla l'exaspérer au plus haut point.

Échauffée par le travail à la barre, Emily fut obligée d'enlever ses jambières et son pull. Bientôt les autres firent de même et ils formèrent tous une belle ligne de justaucorps noirs.

Elle aimait répéter chaque semaine les mêmes exercices, c'était rassurant. Et à la fin du cours, en faisant sa révérence, même si elle était épuisée, elle se sentait heureuse. « Rachel peut dire ce qu'elle veut, pensait-elle. Moi, j'ai la danse. »

8

Le lendemain, en partant pour l'école, Chloé remit à Emily une invitation pour sa fête d'anniversaire.

— Finalement, c'est bon, pour la liste d'invités. Dix filles et six garçons, c'est suffisant, non ? Personne ne va compter. Et puis, de toute façon, je ne peux pas supporter les autres garçons.

— Ne t'en fais pas. C'est très bien comme ça. Tu sais déjà comment tu vas t'habiller ? voulut savoir Emily.

— Oh, ne m'en parle pas ! Je n'en ai aucune idée. En plus, il va falloir trouver comment décorer le salon. Des ballons, tu penses que ça fait trop bébé ?

Emily aurait bien aimé que son plus gros problème soit la décoration d'une fête d'anniversaire.

Alors qu'elle s'asseyait à sa place en classe, son estomac se noua. Depuis qu'elle travaillait avec Rachel, elle redoutait d'aller à l'école. Cette peste semblait se moquer totalement de leur dossier. En fait, elle laissait tout le travail à Emily pendant qu'elle discutait avec ses copines du feuilleton qu'elles avaient regardé la veille.

Emily serra les dents… mais au bout de dix minutes, elle craqua. Il n'y avait aucune raison pour qu'elle fasse tout. Rachel la prenait vraiment pour une idiote !

— Dis donc, tu penses te mettre au travail un de ces jours ? demanda-t-elle.

Rachel haussa un sourcil.

— Oh, regardez-moi ça. La chouchoute de la maîtresse s'énerve ! Je parle avec mes amies, d'accord ? De toute façon, tu ne peux pas comprendre, tu n'as pas d'amie.

— Bien sûr que si ! se défendit Emily.

— Alors, les filles, ça avance ? s'enquit Mlle Welch.

Sans dire un mot, Rachel se rassit à côté d'Emily et lui prit un aimant des mains.

— Hé !

– Bon, faut savoir. Tu veux les faire ou pas, ces stupides expériences ? grogna Rachel.

Le samedi suivant, Mme Brown conduisit Emily et Mélissa à Londres pour leur cours des juniors. Elle venait de recevoir son permis de conduire anglais et avait acheté une voiture d'occasion.

– Alors, à ton avis, qui sont les FED du cours ? demanda Mélissa.

– Les quoi ? s'étonna Emily.

Décidément, elle ne comprendrait jamais l'argot anglais.

– Les FED, les Futures Étoiles de la Danse ! Tu n'y connais vraiment rien, Emily !

Emily éclata de rire.

– Les FED ! Voyons… Grace, Anna… Matt, il danse vraiment bien, non ? Et nous deux, évidemment ! ajouta Emily en donnant un coup de coude à son amie.

– Tu n'avais pas besoin de le dire, acquiesça Mélissa en se pavanant.

Emily regarda par la fenêtre de la voiture en se demandant quels nouveaux pas elles allaient apprendre aujourd'hui. En tout cas, elle espérait que Mlle Taylor l'avait classée dans les FED !

Au milieu du cours, Mélissa se pencha vers Emily pour lui glisser :

— Waouh, tu es vraiment une Future Étoile de la Danse.

Emily lui sourit. Elle savait que Mélissa plaisantait, mais le cours se déroulait à merveille ce jour-là. Elle avait bien réussi les exercices à la barre. Son corps lui obéissait parfaitement. Maintenant, toutes les élèves étaient passées au milieu pour travailler les pirouettes. Emily était ravie : ses jambes étaient souples et elle débordait d'énergie !

— Finissez en demi-plié, bras en première position. Très joli, Emily, commenta Mlle Taylor en traversant la salle d'un pas vif, sa jupette virevoltant autour de ses jambes.

Emily la regardait avec admiration. Mlle Taylor avait dansé pour le Royal Ballet avant d'enseigner. Elle était magnifique. Toutes les filles des cours juniors rêvaient d'avoir un jour son élégance.

— Les sauts maintenant. Mettez-vous en position, s'il vous plaît. On commence par un demi-plié.

Emily adorait sauter. Elle répéta, jusqu'à ce que la sueur lui dégouline dans le cou, le mouvement tout en légèreté et en puissance, qui débutait et se terminait par un demi-plié. Elle avait la tête bien droite, elle savait qu'elle sautait vraiment bien, plus haut que d'habitude. Aujourd'hui, ses jambes lui semblaient particulièrement souples et élastiques, elle aurait pu sauter jusqu'au plafond si elle l'avait voulu !

Cher Journal,

Cet après-midi, le cours juniors était tout simplement fabuleux.

Tout le monde parle des inscriptions à la Lower School. J'avais peur de ne même pas être convoquée à l'audition préliminaire mais Mlle Taylor nous a rassurées. Tous ceux qui renvoient le formulaire passent le concours. Il faut donc que je me prépare pour donner le meilleur de moi-même le jour de l'audition !

Sinon, j'ai reçu un e-mail de Sarah :

Tu me manques tellement !!!! C'est fou que tu sois de l'autre côté de l'Atlantique. Alors, l'Angleterre, c'est comme dans les films ? Dis, tu m'envoies des photos ?

Aujourd'hui, on est allées faire du shopping avec Libby et maman. On a acheté des colliers avec des perles en forme de cœur et une petite fleur au milieu. On va les porter dès demain parce qu'on va au musée avec la classe. J'adore les sorties en car, mais sans toi, ce ne sera pas vraiment pareil !

J'espère que tes cours de danse se passent bien. Et ne nous oublie pas lorsque tu seras une grande étoile !

Bisous,

Ta meilleure amie pour la vie.

Elle a l'air de beaucoup voir Libby en ce moment. Je sais bien que je ne devrais pas être jalouse, mais je ne peux pas m'en empêcher. Avant, on était tout le temps ensemble. On n'avait aucun secret l'une pour l'autre. Je suis contente qu'on puisse s'envoyer des mails mais ce n'est pas pareil. Je me demande quand on pourra se revoir.

9

— Vous êtes vraiment sûres que ça ne fait pas trop bébé, les ballons ?

— Mais oui !!! SÛRES ! hurlèrent en chœur Emily, Tasha et Maddie.

Pour une fille cool, Chloé était vraiment stressée par la décoration de son salon.

Le jour de sa fête d'anniversaire était enfin arrivé.

Comme c'était les vacances de la Toussaint, Emily, Tasha et Maddie avaient pu venir l'aider à tout préparer. Elles avaient poussé les canapés pour dégager la piste de danse, rangé tous les bibelots de sa mère dans la cuisine avant d'accrocher des ballons et des banderoles.

M. et Mme Minton avaient prévu des canapés, des gâteaux, des bols de chips, du raisin, des petites saucisses et des cookies au chocolat : tout ce que Chloé préférait.

Rachel fut l'une des premières à arriver. Elle portait un haut noir, un jean et des bottes noires, avec une jolie barrette argentée en forme de fleur dans les cheveux et un bracelet en argent au poignet. Elle était très jolie mais, comme toujours, elle fit une réflexion désagréable à Emily :

– Ah, tu ne t'es pas encore changée pour la soirée ?

Emily regarda sa tenue : un haut blanc et une jupe en jean. Elle eut l'impression d'être habillée comme un sac. « Exactement ce qu'elle voulait », se dit-elle.

– En tout cas, je vois que toi, tu n'as pas changé de comportement ! répliqua-t-elle sèchement avant d'aller dire bonjour à Ruby.

Elle était furieuse. Pourquoi Rachel s'en prenait-elle toujours à elle ? Et surtout, pourquoi la laissait-elle faire ?

– Oh ! J'adore ta jupe ! s'exclama Ruby qui n'avait rien entendu.

Emily ne savait pas si elle devait rire ou pleurer. Elle évita Rachel pendant toute la fête et celle-ci fit de même.

Le lendemain, Emily et Mélissa se rendirent chez Mme Franklin afin qu'elle les prenne en photo pour leur bulletin d'inscription. Elle était tellement heureuse de savoir que ses deux meilleures élèves allaient peut-être entrer à la Lower School qu'elle leur avait proposé de les aider.

Elle leur demanda de prendre quatre poses différentes et fit mille allers-retours entre l'appareil photo et les filles pour ajuster leur coiffure ou leur tenue. Enfin, les clichés pris, elle leur promit d'apporter les photos au cours du lendemain, mercredi.

Le jeudi, Emily avait donc toutes les pièces nécessaires pour son dossier d'inscription. Elle glissa les photos dans l'enveloppe avec le formulaire, la cacheta et fila dans la cuisine. Et hop ! Fini.

– Si tu te dépêches, tu peux la poster avant la dernière levée, lui dit sa mère en regardant sa montre.

– Un timing royal !

Amy éclata de rire.

– Ah, là, là ! Tu ressembles de plus en plus à ton père !

– Vraiment ?

Sa mère lui disait parfois qu'elle ressemblait à son père, lorsqu'elle se concentrait sur quelque chose par exemple. Et maintenant, elle avait aussi la même façon de parler. Elle aimait se dire qu'elle conservait un lien avec lui, bien qu'elle n'en ait quasiment plus aucun souvenir.

Ce jour-là, il faisait un magnifique temps d'automne. En allant poster sa lettre, Emily avait envie de danser. Elle était tellement heureuse !

Le facteur était en train de vider la boîte aux lettres rouge. Emily se précipita vers lui en tendant son courrier pour la Lower School.

– Vous pouvez me prendre cette lettre ?

– Bien sûr. Ça a l'air très important !

– Oh oui, très ! répondit Emily, les joues roses. Merci, monsieur.

Cher Journal,

C'est fait, c'est posté. Il n'y a plus qu'à patienter. J'espère quand même que je ne vais pas devoir attendre trop longtemps la réponse et la date de l'audition préliminaire.

Hier, c'était Halloween. On s'est vraiment bien amusés. Mlle Welch nous a distribué des bonbons en classe, mais j'ai regretté de ne pouvoir faire la tournée des voisins avec Sarah, comme d'habitude. Je me demande comment elle était déguisée. J'imagine qu'elle a passé la soirée avec Libby. C'est bizarre. L'année dernière, on était toutes les deux déguisées en sorcières et tout le monde a cru que nous étions sœurs. Ça me paraît tellement loin ! Cette semaine, je n'ai pas eu le temps de lui envoyer un e-mail. Il s'est passé tant de choses. Il faut absolument que je lui écrive demain.

Quelques jours après, en descendant pour le petit déjeuner, Emily entendit la voix de sa mère sur le palier. Quand celle-ci rentra, le courrier à la main, Emily l'interrogea :

— Maman, qu'est-ce que tu faisais dehors ?

— Oh rien, répondit-elle en rougissant. Je discutais juste avec le facteur. Dis, tu as reçu une lettre de l'école du Royal Ballet.

Emily eut l'impression que sa mère essayait de changer de sujet mais elle n'insista pas, pressée d'ouvrir son courrier. Le cœur battant, elle déchira l'enveloppe et parcourut vite la lettre.

C'était écrit noir sur blanc : elle était invitée à se présenter à l'audition préliminaire dans les locaux de la Upper School, à Covent Garden, samedi 18 janvier. Elle poussa un cri de joie avant de tendre la lettre à sa mère.

– Je me demande ce qu'ils vont te demander.

– Oh, en fait, ce sera comme pour un cours normal. La seule différence, c'est qu'il y aura un jury pour nous noter, répondit Emily en se remémorant ce que leur avait expliqué Mlle Taylor.

Les mains tremblantes, elle relut la lettre une troisième fois.

– Il faut qu'on soit en justaucorps normal, pas en blanc comme pour les cours juniors, lut-elle à haute voix. Oh, maman, je suis tellement nerveuse !

À ce moment précis, Chloé vint la chercher pour aller à l'école.

– Emily, dépêche-toi. On va être en retard !

Elle consulta sa montre. Elles auraient dû être parties depuis cinq minutes.

– Oups ! Désolée, Chloé. Mais attends un peu que je te raconte, j'ai une très bonne excuse !

Elle embrassa sa mère avant de suivre son amie dans l'escalier. Une fois qu'elle lui eut annoncé la nouvelle, Chloé remarqua :

— J'ai aperçu ta mère qui parlait au facteur. J'ai l'impression qu'il lui plaît. Elle était vraiment jolie, bien coiffée et habillée, comme si elle allait sortir.

— Chloé! s'exclama Emily. Où es-tu allée chercher une idée pareille? Je ne vois pas pourquoi ma mère se ferait belle pour le facteur.

— Je ne sais pas. Il est plutôt pas mal, tu ne trouves pas?

— Non! Et maman doit penser comme moi! Alors arrête de jouer les marieuses!

Emily se força à rire, mais la remarque de Chloé l'avait troublée. Elle n'arrivait pas à imaginer sa mère avec quelqu'un. Depuis la mort de son père, elle n'avait jamais eu de petit ami et Emily trouvait que c'était très bien comme ça. Elle savait que c'était égoïste de vouloir garder sa mère pour elle toute seule, mais elle ne pouvait pas s'en empêcher.

Emily n'ouvrit pas la bouche de tout le trajet. Elle était préoccupée par cette histoire. Chloé avait raison. Depuis quelques jours, sa mère se maquillait plus et faisait attention à sa tenue le matin. Mais il était tout simplement impossible qu'elle soit tombée amoureuse du facteur, non?

10

Ce matin-là, en classe, Mlle Welch leur fit fabriquer des calendriers de l'Avent. Il fallait découper de petites fenêtres dans une grande feuille à coller sur un grand carton en dessous. Ensuite, elle demanda aux élèves de dessiner vingt-quatre vignettes de Noël dans les petites cases. En se creusant la tête, Emily et ses amies avaient trouvé des idées pour les dix-sept premiers dessins, mais elles commençaient à sécher!

– Vous croyez que c'est exagéré de dessiner la mère Noël? demanda Emily.

– Non, et tant que tu y es, dessine bébé Noël, tata Noël, mamie Noël et toute la famille, répliqua Tasha. Bon, d'après toi, qu'est-ce que c'est?

– Encore une vache!

Des éclats de rire fusèrent.

– Une vache de Noël, c'est nouveau, ça ! s'exclama Chloé.

Rachel, qui n'avait pas suivi, s'approcha de leur table pour demander :

– Qu'est-ce qu'il y a de si drôle ?

– Emily a pris mon renne pour une vache, expliqua Tasha en tirant la langue à Emily, faussement vexée.

Mais Rachel n'eut pas l'air de trouver ça drôle du tout. Elle haussa les épaules.

– Emily est un peu bizarre de toute façon. Qui a déjà vu une vache avec des bois sur la tête ?

Emily se retint de répliquer, laissant Rachel retourner à sa place dans un lourd silence. Pourtant, tout le monde avait ri. Il fallait toujours que Rachel gâche tout. Emily serra les dents et se replongea dans son dessin.

– Ça va ? lui demanda Ruby à voix basse.

Emily hocha la tête, feignant d'être absorbée par son travail.

– Et si je faisais une dinde ? s'exclama-t-elle avec un entrain forcé.

Elle ne voulait surtout pas montrer que Rachel lui avait fait de la peine. Pas question !

*

Le mercredi, en arrivant à l'académie Franklin, Emily sut tout de suite que Mélissa avait également reçu sa convocation. Elle sautillait d'un bout à l'autre du vestiaire.

– Je n'arrive pas à y croire, Emily !

– Moi non plus. Quand j'ai reçu la lettre, j'étais tellement surexcitée que j'ai dû la relire trois fois avant de comprendre !

La plupart des autres élèves étaient heureux pour elles.

– Il faudra que vous nous racontiez tout dans les moindres détails, supplia Jade.

– Vous devez être drôlement nerveuses ! remarqua Zoé.

Mais, comme d'habitude, il fallait que Nelly soit désagréable :

– J'imagine que vous savez que vous ne serez pas toutes seules à auditionner ? À votre place, je ne me ferais pas trop d'illusions.

– Tu ne serais pas un peu jalouse ? répliqua gentiment Mélissa.

Nelly s'empourpra.

– Non, je suis contente pour toi, Mélissa. Par

contre, Emily vient d'arriver en Angleterre. Ce n'est pas juste. Enfin, je veux dire…

— Je ne vois pas le rapport, la coupa Emily. Les élèves du Royal Ballet viennent du monde entier. Peu importe que j'habite ici depuis des années ou quelques mois seulement !

— Ne fais pas attention à elle, intervint Mélissa. Elle dit n'importe quoi parce que tu danses mieux qu'elle. Elle est jalouse, c'est tout ! Allez, viens, on va s'échauffer.

Rouge pivoine, Nelly tourna les talons.

Pendant le cours, Emily travailla encore plus dur que d'habitude. Après la révérence, Mme Franklin prit Mélissa et Emily à part.

— Mesdemoiselles, que diriez-vous de danser chacune un solo pour le spectacle de Noël ?

Mélissa et Emily se regardèrent, abasourdies. Mme Franklin devait les considérer comme de très bonnes danseuses pour leur proposer un solo !

— Oui, vous m'avez bien entendue. Et je pensais que vous pourriez aussi exécuter un duo ensemble. Bien sûr, cela impliquerait de répéter en dehors des cours. Le spectacle aura lieu dans un mois et demi, vous aurez donc énormément à apprendre en très peu de temps. Pourriez-vous venir ici le lundi, en plus du mercredi ?

– Oh oui ! s'exclamèrent Mélissa et Emily en chœur.

– Tu penses, ajouta Emily à voix basse.

Plus elles avaient l'occasion de s'entraîner, mieux c'était.

Les semaines suivantes filèrent à toute vitesse, entre les cours de danse, les répétitions, les chants de Noël et les achats de cadeaux. Emily avait à peine le temps de manger et encore moins de penser à l'audition. Les cours que Mme Franklin leur donnait en supplément étaient épuisants, mais passionnants. Mélissa dansait son solo avec une légèreté incroyable, Emily adorait la regarder répéter. Et le sien aussi était magnifique, elle travaillait ses mouvements à la barre dès qu'elle avait une seconde.

Désormais, elle se sentait vraiment chez elle à Oxford. Un samedi, avec Chloé, Ruby et Tasha, elles étaient allées faire des courses de Noël et elles s'étaient amusées à imaginer les cadeaux les plus fous qu'elles pourraient offrir aux personnes de leur classe.

Emily avait repéré une lime à ongles. « Voilà qui plairait à Rachel. Ce serait parfait pour aiguiser ses griffes ! » avait-elle pensé. Mais elle n'avait rien osé dire, évidemment.

En classe, le mardi suivant, pour le cours de sciences, Emily était à nouveau assise à côté de Rachel.

– Au fait, Emily…, bafouilla-t-elle. Je voulais te souhaiter bonne chance pour ton audition.

– Euh… Merci.

Emily n'en croyait pas ses oreilles. Rachel, gentille… Qu'est-ce qui lui prenait ?

– Oui, parce que si tu es prise dans ton école, tu ne seras pas au collège avec nous l'année prochaine. Comme ça, nous n'aurons plus à supporter tes histoires de tutu toute la journée !

Emily eut l'impression d'avoir reçu une gifle. Une fois encore, elle était tombée dans le piège !

– Mes histoires t'ennuient ? C'est que tu n'as pas entendu les tiennes !

– Mesdemoiselles, arrêtez de bavarder sinon vous n'aurez jamais le temps de terminer votre travail, les avertit Mlle Welch. Et ceci est valable pour tout le monde. Il ne vous reste plus qu'une semaine. Si vous ne pouvez pas finir votre projet en classe, vous devrez l'achever en dehors des cours.

Rachel et Emily étaient loin d'avoir terminé leur dossier.

— J'ai bien peur qu'on doive se voir après les cours pour travailler ensemble, constata Emily, sans enthousiasme.

Rachel ne répondit même pas.

— Tu peux venir à la maison demain soir si tu veux, proposa Emily.

— J'imagine que je n'ai pas le choix, si tu trouves le temps, entre deux cours de tutu.

— Pour toi, Rachel, je suis prête à tout, répondit Emily sur un ton sarcastique. J'attends ce moment avec impatience.

Le lendemain, après les cours, Rachel rentra donc en compagnie de Chloé et d'Emily. Bizarre et plutôt gênant. Rachel ne disait pas grand-chose mais, heureusement, Chloé faisait la conversation :

— Maman m'emmène chez le coiffeur tout à l'heure. À votre avis, carré court ? Frange, pas frange ?

– Il paraît que la grande mode en ce moment à Chicago, c'est la frange, répondit Emily.

Rachel leva les yeux au ciel.

– On n'en a rien à faire de la mode à Chicago !

– Non, moi, je trouve ça chouette de connaître la dernière mode américaine, répliqua Chloé. Je vais en parler au coiffeur.

Arrivée chez elle, Emily prit deux bananes pour leur goûter, puis proposa à Rachel de s'installer à la table du salon pour travailler.

– C'est ta mère ? demanda Rachel en regardant une photo de Mme Brown.

Emily l'avait prise au réveillon du Nouvel An. Sa mère avait un chapeau en papier sur la tête et des serpentins autour du cou, mais elle la trouvait belle. Elle souriait à l'objectif, complètement naturelle.

– Oui, répondit-elle en prenant son stylo. On peut commencer ?

Mais Rachel n'avait pas bougé et continuait de regarder les photos qui étaient sur la cheminée.

– Et ton père, il est où ? C'est lui, là ?

Emily ne savait pas quoi dire. Elle décida d'être directe et annonça sans détour :

– Il est mort.

Elle montra un cadre accroché au mur.

– C'était le jour de leur mariage. Mon père est mort quand j'étais toute petite.

Rachel se mordit les lèvres.

– Oh, je suis désolée.

Juste à ce moment-là, la porte s'ouvrit. La mère d'Emily rentrait de l'université.

– Chérie, c'est moi. Pardon, je suis en retard mais…

Mme Brown se tut en entrant dans le salon.

– Oh, bonjour. Rachel, c'est ça ? Emily m'avait prévenue que tu devais venir pour votre devoir de sciences. Je me présente, Amy, sa maman.

– Bonjour, madame.

Emily observa attentivement Rachel pendant toute la scène, les poings serrés sous la table. Si elle avait osé dire quelque chose de désagréable à sa mère devant elle, elle… elle…

– Tout va bien, mon cœur ? lui demanda sa mère après l'avoir embrassée.

– Oui, très bien, maman. On allait juste se mettre au travail.

– Bien sûr, je ne vous dérange pas plus longtemps. Je vais prendre mes cachets. J'ai eu tellement de choses à faire aujourd'hui que j'ai complètement oublié, ce matin. Ensuite, je vous préparerai un goûter.

Rachel resta silencieuse jusqu'à ce que Mme Brown ait refermé la porte de la cuisine.

– Quels cachets ? Ta mère a un problème ?

– Pas du tout !

Cette fille était franchement trop curieuse ! Mais après réflexion, Emily décida qu'il valait mieux tout lui dire avant qu'elle n'aille raconter n'importe quoi à l'école.

– Si ça t'intéresse vraiment, ma mère a la sclérose en plaques. On peut se mettre au travail, maintenant ? Sinon, on n'aura jamais fini ce soir.

« Et comme ça, tu arrêteras de me poser toutes ces questions », ajouta-t-elle pour elle-même. Elle prit son livre de sciences et l'ouvrit devant elle.

– Tu veux encore savoir autre chose ou on peut s'y mettre ?

À sa grande surprise, Rachel lui répondit gentiment qu'elle avait raison et se mit au travail.

Le reste de l'après-midi se passa sans problème.

Emily et Rachel terminèrent leur dossier en une petite heure. Emily était ravie. Elles avaient même plaisanté un peu.

Elle remarqua que Rachel était étrangement silencieuse pendant qu'elle attendait que sa mère vienne la chercher.

— Qu'est-ce qu'il y a ? lui demanda-t-elle.

— Emily… Je voulais m'excuser. Je suis désolée pour tout ce que je t'ai fait subir à l'école. Je m'étais trompée sur toi. Je croyais que tu avais une vie de petite princesse de conte de fées.

— Moi ? Une princesse ?

Rachel fixait ses chaussures, mal à l'aise.

— Oui, je sais que c'est idiot. J'ai bien vu que ce n'était pas le cas. Enfin, je crois que j'étais jalouse et je voulais te le faire payer… pardon.

Emily ne savait pas comment réagir.

Au moment où elle allait répondre, on frappa à la porte.

— Ce doit être ta mère, dit-elle, soulagée.

Rachel prit son cartable après avoir enfilé son manteau.

— À demain. Et… j'espère qu'on pourra prendre un nouveau départ, toutes les deux.

– Oui, j'espère, répondit Emily en ouvrant la porte. Salut, Rachel, à demain.

Elle avait apprécié les excuses, mais elle n'était pas sûre de pouvoir tout oublier.

Mme Brown sortit de la cuisine pour saluer Rachel et sa mère. Une fois la porte fermée, elle regarda sa fille, en souriant.

– Je suis contente que tu te sois fait des amies. Rachel a l'air très gentille. Bon… qu'est-ce que tu aimerais manger ce soir ?

Emily se mit à rire. Rachel, gentille ?

– Qu'est-ce qui te fait rire ? voulut savoir sa mère.

– Rien, maman, rien, répondit-elle en repensant à l'étrange conversation qu'elle venait d'avoir. Quand je rentrerai du cours de danse, on ira se chercher un *fish and chips*, tu veux bien ?

– Emily, tu deviens de plus en plus anglaise !

Cher Journal,

Je suis morte de fatigue ! Je ne sens plus mes jambes ni mes bras. En fait, même écrire me demande un effort ! Mais la journée que je viens de passer est tellement étrange qu'il faut vraiment que je la raconte.

Tout d'abord, Rachel m'a présenté des excuses ! Je n'arrive toujours pas à y croire. Apparemment, elle croyait que j'avais une vie de conte de fées. Et elle s'est acharnée sur moi juste pour ça, par jalousie. Une fois qu'elle a su que mon père était mort et que ma mère avait la sclérose en plaques, elle a changé d'attitude. Je n'ai aucune envie qu'elle devienne sympa avec moi à cause de ça. Mais si elle peut me laisser tranquille à l'école, alors tant mieux.

Ensuite, avant le cours de danse, ce soir, nous avons essayé nos costumes pour la représentation. Pour les solos, Mélissa et moi, nous avons dû choisir des tutus. Mélissa en a pris un blanc qui lui va drôlement bien, et moi, j'en ai pris un rose qui me fait penser à celui de la fée Dragée dans Casse-Noisette.

Le cours de danse était génial mais (et je ne suis pas fière de moi du tout), parfois, je suis jalouse de Mélissa. Je n'y peux rien. Ses mouvements sont si parfaits, elle saute tellement haut. Et elle est si belle. Les tutus qu'elle a essayés lui allaient tous mieux les uns que les autres. Mme Franklin dit qu'elle a une personnalité vraiment à part qui resplendit lorsqu'elle danse.

*J'ai peur de ne pas être aussi belle qu'elle sur scène.
J'ai honte, mais j'avoue que je serais déçue si Mélissa
dansait mieux que moi à l'audition préliminaire. C'est
affreusement terriblement nul de ma part, non ?*

11

En ouvrant les yeux, le samedi matin, Emily vit son tutu rose qui scintillait, accroché à la porte de son armoire. La pièce était baignée d'une lumière féerique.

Devinant d'où elle provenait, elle sauta du lit et se rua à la fenêtre.

– Waouh !

Le jardin était recouvert d'un épais manteau blanc. Rien à voir avec les chutes de neige de Chicago mais cela suffisait amplement pour s'amuser. Et comme elle n'avait pas de cours juniors aujourd'hui…

– Maman, maman, il neige ! hurla-t-elle.

Emily s'habilla rapidement, avala son bol de céréales en quatrième vitesse avant d'aller prévenir Chloé.

Sa mère sortit en même temps qu'elle de l'appartement.

– Je vais juste chercher le journal. Je reviens tout de suite, chérie.

– Pas de problème, répondit Emily au moment où Chloé ouvrait la porte, encore en pyjama. Tu as vu, Clo ? C'est tout blanc, dehors. Tu viens faire une bataille de boules de neige ?

– Désolée, je ne peux pas. Je dois aller faire des courses de Noël avec maman. Mais, cet après-midi, par contre, si tu veux.

– Oh… J'ai une répétition cet après-midi.

Emily était déçue.

Elle adorait avoir une vie bien remplie, mais la danse l'obligeait malheureusement parfois à faire des sacrifices.

– Pour le spectacle ? demanda Chloé.

Elle acquiesça.

– J'aimerais bien venir. Tu crois que tu pourrais m'avoir une place ?

– Évidemment ! répondit Emily, ravie que son amie souhaite assister à son spectacle de danse. Tu pourras venir avec maman.

– En fait, j'aurais besoin de deux billets.

– Pas de problème. Tu vas demander à ta mère de t'accompagner ?

Chloé n'eut pas le temps de répondre, car un cri retentit en bas de l'immeuble.

– C'est maman !

Emily se précipita dehors, suivie de son amie, toujours en pyjama et en chaussons.

Amy Brown était au pied du perron, soutenue par le facteur.

– Maman, ça va ?

– Ça va, ma chérie, j'ai juste raté une marche. J'aurais dû mettre du gros sel. Pourtant la neige, je connais, après tous ces hivers passés à Chicago.

Elle tressaillit lorsqu'elle essaya de marcher.

– Amy, tu ne devrais pas faire d'effort, intervint le facteur. Je vais te raccompagner chez toi.

La mère d'Emily sourit alors que le facteur l'aidait à monter les marches.

– Merci, Steve. Tout va bien… Je suis affreusement confuse…

Emily était surprise qu'ils s'appellent par leurs prénoms. Et sa mère avait un drôle d'air. Elle pouffait comme une adolescente. Elle ne savait qu'en penser.

« Ne sois pas bête, se dit-elle. Tu as trop d'imagination. Ils sont juste bons amis, forcément ! »

Le facteur ne partit finir sa tournée que lorsqu'il fut sûr que Mme Brown était totalement remise. Quand Emily raccompagna Chloé à la porte, celle-ci lui glissa :

— Aucun doute, ces deux-là sont amoureux !

— Chloé ! Ça va pas la tête ! Tu parles de ma mère.

— Il n'empêche que j'ai des yeux pour voir !

Elle baissa justement les yeux vers ses chaussons.

— Bon, je ferais mieux de rentrer avant que maman ne se rende compte que je suis sortie en pyjama. À plus tard !

Cher Journal,

J'ai le mal du pays. Ça faisait longtemps que ça ne m'était pas arrivé. J'ai eu tellement de choses à faire que je n'ai pas eu le temps de penser à Sarah ou à Chicago. Mais en voyant le paysage enneigé, je me suis souvenue du temps où on faisait de la luge ou des bonshommes de neige dans la rue. J'adore cette saison !

Je n'arrête pas de penser à ce que Chloé a dit sur maman et le facteur, Steve. Je ne sais pas pourquoi ça me contrarie à ce point.

Il a l'air sympa mais l'idée que ma mère sorte avec un homme ne me plaît pas du tout. Je ne l'ai jamais partagée avec personne et je n'ai pas envie que ça commence. Je sais que c'est égoïste...

Et voilà, je suis encore jalouse ! Décidément, je ne laisserai jamais personne lire ce journal...

Emily ne vit pas passer les semaines suivantes. Le jour du spectacle de Noël arriva sans qu'elle s'en rende compte.

Au lever de rideau, elle se tenait en coulisses avec Mélissa, toutes deux vêtues de leurs magnifiques tutus. Même si elle avait le trac, Emily était surexcitée. Elle avait travaillé tellement dur, elle savait qu'elle était prête.

Les deux amies regardèrent la classe des petits ouvrir le spectacle en attendant leur tour.

En dépit de leur maladresse, les petits danseurs étaient trop mignons. Ils avaient beau trébucher et se bousculer, on voyait qu'ils prenaient plaisir à danser. Ils eurent droit à une « standing ovation » de tous les parents lorsqu'ils firent leur révérence.

Puis Mme Franklin monta sur scène afin d'annoncer le solo d'Emily.

Celle-ci sentit ses mains devenir moites et ses jambes trembler. Mais lorsqu'elle avança vers le centre de la scène, un frisson la parcourut. « Tout le monde te regarde, Emily Brown, se dit-elle, tu ne peux pas les décevoir ! »

Elle leva les bras et se mit en position. Il n'y avait pas un bruit dans la salle. Sur le devant, elle aperçut sa mère et Chloé.

Et à côté d'elle, elle reconnut celle pour qui son amie lui avait demandé un second billet. C'était bien la dernière personne qu'elle se serait attendue à voir ici. Rachel ! Et elle lui souriait !

Elle n'eut pas le temps de s'attarder sur cette pensée car Mme Franklin venait de faire signe au pianiste. Le professeur avait créé cette chorégraphie tout spécialement pour Emily sur le thème de la fée Hiver.

La jeune danseuse battit la mesure dans sa tête et se lança. Elle oublia le public pour exécuter l'enchaînement qu'elle avait répété tant de fois. Pour préparer les sauts de chat, Mme Franklin lui avait demandé d'observer les félins, car ses sauts devaient être aussi légers et feutrés que ceux d'un chat.

Emily adorait ce pas qu'on retrouvait dans tous

ses ballets favoris comme *La Belle au bois dormant* ou *Le Lac des cygnes*. Il fallait lancer la jambe droite pliée, en retiré, puis juste après, lever la jambe gauche, comme si elle chassait la droite. Emily entendait encore la voix de Mme Franklin résonner à ses oreilles : « Ne te contente pas de lever les genoux jusqu'aux oreilles, saute haut, très haut ! »

Elle dansa, dansa et dansa encore, emportée par la musique. Ses bras se balançaient en rythme, ses jambes étaient souples et agiles, ses pieds se posaient avec légèreté sur le sol après chaque saut. Elle enchaîna les pirouettes d'un bout à l'autre de la scène, suivie par le projecteur. Plus rien d'autre ne comptait que la musique et la danse, Emily était la fée Hiver.

Les applaudissements à la fin de son solo la ramenèrent sur terre. Elle n'avait jamais connu pareille émotion. Face au public qui s'était levé pour l'acclamer, elle en oublia presque de saluer. Les applaudissements continuaient de résonner à ses oreilles alors qu'elle regagnait les coulisses. Elle avait réussi !

En coulisses, Mélissa lui adressa un grand signe pour la féliciter avant d'entrer en scène.

Un peu étourdie, Emily s'adossa au mur pour regarder son amie danser. Il était évident que Mélissa était faite pour la scène. Elle arborait un sourire radieux, même lors des parties les plus difficiles de son solo. Elle termina par une fabuleuse arabesque sous les applaudissements du public. Emily en avait les larmes aux yeux.

Puis vint leur duo. Munies de baguettes magiques, elles lançaient de la poudre d'étoiles sur les spectateurs. C'était merveilleux ! Emily n'avait jamais été aussi heureuse que là, sur scène, dansant avec Mélissa sous le regard de sa mère.

Après le spectacle, alors que les filles se changeaient en coulisses, elles virent arriver leurs mères, très émues.

— Tu étais magnifique, ma chérie, dit la mère d'Emily en la serrant dans ses bras. Je suis si fière de toi. J'avais vraiment du mal à réaliser que cette belle danseuse était ma petite fille.

Emily essaya de ne pas trop rougir. Mais après tout, elle s'en moquait, elle était tellement heureuse !

Puis Chloé surgit pour la féliciter.

— Emily, tu étais fantastique ! J'ai adoré. C'était génial !

Elle se retourna vers Rachel.

– On a toutes les deux adoré. Pas vrai ?

Rachel fit quelques pas en avant.

– C'était tellement beau, j'en avais la chair de poule !

– Merci, répondit Emily en défaisant son chignon. Merci beaucoup d'être venues. Je suis contente que ça vous ait plu.

Cher Journal,

Il est très tard et je suis exténuée, mais la soirée a été vraiment extraordinaire ! J'adore danser sur scène devant un public, c'est fantastique. J'en frissonne encore ! Maman m'a dit qu'il y avait un photographe et un journaliste dans la salle. Carrément !

J'aurais juste aimé que mes grands-parents et Sarah puissent être là. Ils assistaient à tous mes spectacles, à Chicago. Enfin, à la place, il y avait Chloé... et Rachel ! Ça, c'était une surprise de taille. J'ai l'impression que nous allons beaucoup mieux nous entendre mainte-nant. Tu parles d'un soulagement ! Fini les « Miss Tutu rose ».

Mme Franklin nous a félicitées, Mélissa et moi. Elle nous a dit que si nous dansions aussi bien à l'audition, ils seraient fous de ne pas nous prendre. C'était très gentil de sa part. Elle est vraiment géniale. Dire qu'il ne reste que quatre semaines avant l'audition préliminaire !

Bon... J'ai été tellement débordée ces derniers temps que je ne sais même plus de quoi je voulais parler. Ah si ! Comment ai-je pu oublier ? Ce soir, maman m'a dit : « Il faut à tout prix que j'appelle Steve pour lui raconter ton spectacle. »

D'un air innocent, je lui ai demandé si elle le connaissait bien. Et elle est devenue toute rouge ! Puis elle m'a dit que, justement, elle voulait discuter avec moi, car il lui avait proposé de sortir dîner un soir ! Elle m'a demandé ce que j'en pensais.

J'ai beau redouter de voir quelqu'un s'immiscer entre nous, je me suis jetée à son cou et je lui ai répondu que je trouvais ça génial. Je suis très fière de moi.

Je sais que j'ai réagi comme il fallait, pourtant, ça me tracasse. Et s'ils tombaient vraiment amoureux ? Je ne me sens pas prête à avoir un nouveau père !

12

Le lendemain matin, la mère d'Emily dut l'appeler quatre fois avant qu'elle ne se réveille. La vie de ballerine était épuisante !

À une semaine des vacances de Noël, tout le monde était d'humeur festive. On avait installé une boîte aux lettres spéciale dans le hall de l'école pour les dernières cartes de vœux que voulaient s'échanger les élèves. Chaque matin, Mme Daniels, la secrétaire, les distribuait dans les classes. Rachel en avait envoyé une à Emily, qui lui avait répondu. Après tout, Noël était la fête de la générosité et de l'amitié !

La dernière semaine d'école passa à toute vitesse. Il y eut un spectacle de Noël avec des chants et une pièce très drôle jouée par des élèves et des professeurs. La classe d'Emily prépara des calendriers et des cartes de vœux ornées de paillettes pour les parents.

Le vendredi soir, Mme Brown sortit dîner avec Steve. Emily passa la soirée chez Chloé. Quand sa mère vint la chercher en rentrant, elle était particulièrement joyeuse. Emily était contente qu'elle ait passé un bon moment, mais elle n'était pas encore tout à fait à l'aise avec ça. Chloé était persuadée que sa mère et Steve étaient amoureux. Une partie d'Emily espérait qu'elle se trompait, même si elle savait que c'était égoïste.

Le 24 décembre, Emily et sa mère formèrent un chœur de Noël avec les Minton et quelques amis. Ils passèrent devant les bâtiments du campus puis se promenèrent dans la ville, en chantant des cantiques sous les fenêtres.

Chloé prit la main gantée d'Emily dans sa moufle et elles parcoururent les rues aux pavés givrés en criant à tue-tête *We wish you a Merry Christmas**.

Au moment où la procession traversait la rivière, Emily réalisa qu'elle était vraiment tombée sous le charme d'Oxford. Des centaines de lumières cli-

---

* « On vous souhaite un joyeux Noël », chant traditionnel de fin d'année.

gnotantes se reflétaient dans l'eau sombre. Le givre scintillant sous le clair de lune parait les façades des collèges de dentelle blanche. C'était tellement beau, on aurait dit une carte de Noël.

Le lendemain matin, Emily s'éveilla le sourire aux lèvres. Noël! Sans conteste, le plus beau jour de l'année. Après un petit déjeuner de reines, Emily et sa mère ouvrirent les trois paquets qui étaient arrivés de Chicago.

Le premier venait des grands-parents d'Emily. Il contenait une photo d'eux quatre à son dernier anniversaire, dans un joli cadre doré. Il y avait aussi une boîte à musique pour Emily. Lorsqu'on l'ouvrait, une petite ballerine tournoyait au rythme de la mélodie.

Le second paquet avait été envoyé par la meilleure amie d'Amy Brown, Jackie. Elles y trouvèrent des livres pour Amy et, pour Emily, le dernier sac à la mode à Chicago.

– Sacrée Jackie! s'exclama Emily. Elle trouve toujours des cadeaux géniaux!

Le troisième était celui de Sarah. Elle avait dû demander à toutes les copines d'Emily de se joindre à elle, car le paquet était énorme et plein de surprises : un répertoire rose de la part de Libby, avec toutes leurs adresses déjà notées dedans, « pour que tu ne nous oublies pas », avait-elle précisé dans le petit mot joint. Une tonne d'élastiques et de barrettes de la part de Ruth qui, comme Emily, les perdait constamment, ce qui les faisait tout le temps rire. Beth lui offrait un porte-clefs des Chicago Bulls. Janice lui avait écrit un poème sur l'amitié. Et Sarah avait ajouté un ours en peluche bleu qui portait un T-shirt avec l'inscription « Serre-moi fort ».

Mais le plus beau des cadeaux, c'était une longue lettre à laquelle elles avaient toutes participé. Emily eut un pincement au cœur. Elle était émue et elle se sentait un peu coupable de ne pas les avoir appelées depuis si longtemps.

Sa mère la prit dans ses bras.

– Ça va, ma chérie ?

– Ça va, maman. Passons aux autres cadeaux !

– Eh bien, on peut dire que tu ne perds pas le nord !

Après avoir déballé quelques autres paquets, Emily fila sous la douche. Sa mère s'attela à la préparation du repas de Noël, bien décidée à suivre les traditions anglaises à la lettre : une dinde fourrée aux marrons, accompagnée de pommes de terre, de choux de Bruxelles, de sauce à la mie de pain (faite avec du pain, du lait, des épices) et de *gravy* (une sauce à base de jus de viande), suivie du fameux pudding de Noël arrosé de crème anglaise.

– J'ai complètement oublié de te prévenir ! s'écria Mme Brown au moment où Emily s'habillait. J'ai invité Steve à déjeuner. Tu ne m'en veux pas ? Toute sa famille est en Australie et je trouvais ça triste qu'il passe Noël tout seul.

Emily haussa les épaules en répondant par un vague :

– D'accord…

Son regard rencontra la photo de son père sur sa table de nuit. Ses yeux malicieux et ses cheveux bruns étaient si loin des cheveux clairs de Steve et de ses yeux bleus.

– … Je ne m'y attendais pas, c'est tout.

– Je sais, ma chérie. Excuse-moi de ne pas t'en avoir parlé plus tôt. Mais je ne le lui ai proposé qu'hier, quand j'ai appris qu'il serait tout seul. Et avec tous les préparatifs, ça m'est complètement sorti de la tête.

— Ne t'en fais pas, maman, reprit Emily en voyant l'expression désolée de sa mère. Pas de problème.

En y repensant, elle se dit qu'elle aurait dû s'y attendre. Depuis quelque temps, sa mère avait un drôle d'air dès qu'elle prononçait le nom de Steve et, après leur dîner au restaurant, elle en avait parlé des heures avec la mère de Chloé.

Non, la présence de Steve au repas de Noël n'avait rien de surprenant. Emily avait simplement refusé de regarder la vérité en face, mais désormais, il allait falloir qu'elle l'accepte.

Quand Steve arriva, au début, ils étaient tous un peu gênés. Emily ne savait pas quoi dire. Elle ne s'attendait pas à ce qu'il embrasse sa mère sur la joue. Ni à voir le visage de celle-ci s'illuminer ainsi en sa présence. Elle était affreusement mal à l'aise. Elle aurait dû l'embrasser aussi, mais elle ne pouvait s'y résoudre. Il avait beau faire des efforts pour montrer qu'il s'intéressait à elle, Emily ne se sentait pas prête à sympathiser avec lui tout de suite.

— Alors, Emily, ta maman m'a dit que tu étais une grande danseuse ?

Elle baissa les yeux, embarrassée.

– Merci, en tout cas, j'espère.

Heureusement, pendant le repas, l'atmosphère se détendit un peu. Steve raconta des blagues idiotes qui firent rire Mme Brown. Il faut avouer qu'elles étaient parfois vraiment drôles. Même si Emily avait du mal à le reconnaître, finalement, il était sympa.

Cher Journal,

J'ai passé un excellent Noël ! Maman m'a offert la veste en daim dont je rêvais. Et, apparemment, elle a bien aimé le livre que j'avais choisi sur les peintres anglais.

Steve est venu pour le repas de Noël. Je ne sais toujours pas quoi penser de lui. Il est gentil, il fait rire maman et elle a l'air de beaucoup l'apprécier, alors... Enfin, quoi qu'il en soit, on a vraiment passé un bon moment.

En fin d'après-midi, on a appelé papi et mamie pour leur souhaiter un joyeux Noël. On est restés drôlement longtemps au téléphone. Ensuite, j'ai téléphoné à Sarah. Ça m'a vraiment fait du bien d'entendre sa voix. Je lui ai promis de lui envoyer l'article sur le spectacle de danse où, Mélissa et moi, nous sommes en photo en tutu.

Je l'ai accrochée dans ma chambre. Je sais, ça peut paraître un peu ridicule d'avoir une photo de soi dans sa chambre, mais c'est la première fois que je passe dans le journal ! Chaque fois que je la regarde, je me rappelle quel plaisir j'ai ressenti à danser sur scène. Et tout à coup, je pense à l'audition qui se rapproche... et mon estomac se noue. J'ai tellement envie d'entrer au Royal Ballet !

Plus que trois semaines avant l'audition prélimi- naire ! Je répète sans arrêt. J'espère que je serai au niveau...

13

Entre Noël et le Jour de l'An, Emily travailla sans relâche pour préparer l'audition. À peine sortie du lit, elle commençait par l'échauffement, puis les étirements, et elle passait à la barre pour travailler les pliés et les relevés, avant les différents battements.

Pour se donner du courage, elle se remémorait les paroles de Mlle Taylor en cours : « Commencez en troisième position… en cou-de-pied, le petit orteil sur la malléole », martelait-elle en répétant ses fondus. « Lancez la jambe tendue devant et bien haut », pensait-elle chaque fois qu'elle faisait un grand battement.

Elle préférait faire ses exercices de danse dès le réveil, pour pouvoir passer la fin de la journée en compagnie de ses amies ou de sa mère.

Un jour, Emily, Chloé et Ruby allèrent faire du shopping avec l'argent qu'elles avaient eu pour Noël, car c'était le premier jour des soldes. Une fois leurs achats terminés, elles s'installèrent dans un café devant un bon chocolat chaud pour se raconter leurs vacances et échanger leurs bonnes résolutions du Nouvel An.

C'est Chloé qui commença :

– Je vais essayer d'être un peu moins impatiente, et cela dès maintenant !

– Ça, ce serait une première ! s'esclaffèrent les deux autres.

Ruby, elle, prit la décision de cesser de se ronger les ongles. Puis, elle se tourna vers Emily en souriant.

– Et nous savons très bien quelle est la résolution d'Emily : entrer à l'école du Royal Ballet. Pas vrai ?

– On ne peut rien te cacher, Ruby !

Le premier samedi de janvier, Emily et Mélissa retournèrent à Londres pour leur cours juniors. Elles étaient heureuses de retrouver leurs amies après les vacances de Noël. Mais la gorge d'Emily se serra lorsqu'elle réalisa que la prochaine fois qu'elle passerait les portes de l'école ce serait pour l'audition.

— Plus qu'une semaine ! s'écria Anna en voyant Emily et Mélissa entrer dans les vestiaires.

— Ma prof de danse m'a conseillé de faire comme si c'était un cours juniors normal, leur expliqua Lisa. En plus, nous serons ensemble, pour nous encourager.

— Je me demande d'où viennent les autres candidates, se demanda Mélissa. Probablement du monde entier… et elles sont sûrement excellentes.

— Mm…, acquiesça Emily. Et seulement vingt-cinq d'entre nous seront retenues. Nous devrons être encore meilleures !

Malgré tout, elle avait toujours la gorge nouée lorsqu'elle commença à s'échauffer. Mlle Taylor leur demanda de s'asseoir au milieu du studio pour faire quelques exercices d'assouplissement. D'habitude, Emily aimait cela mais, aujourd'hui, elle se sentait toute raide. Elle n'arrivait pas à se détendre.

— Garde ta tête dans l'alignement, lui conseilla Mlle Taylor en corrigeant sa position. Baisse les épaules.

Emily le savait. C'était la base ! « Concentre-toi », s'ordonna-t-elle.

Elles passèrent à des exercices d'étirement du dos, toujours au sol.

– Sentez votre colonne vertébrale s'étirer, s'étirer… Grandissez-vous, respirez bien. Vous devez avoir l'impression que votre cage thoracique se soulève de l'intérieur.

Mais la cage thoracique d'Emily restait lourde comme du plomb.

– Les mains sur les genoux, Emily.

Elle sursauta en entendant son nom. Que faisaient ses mains sur ses cuisses ? Elle savait qu'elles devaient reposer sur ses genoux ! Elle connaissait ces exercices depuis des années ! Comment avait-elle pu oublier quelque chose d'aussi fondamental ?

Comme à tout le monde, il lui arrivait d'avoir des mauvais jours. « Mais ce n'est vraiment pas le moment d'être dans un mauvais jour ! se dit-elle. Tu n'es qu'à une semaine du jour le plus important de ta vie de danseuse ! »

Les filles passèrent ensuite à la barre. Au grand désespoir d'Emily, son corps n'était toujours pas décidé à lui obéir. Elle regarda Grace effectuer de parfaites et élégantes arabesques, c'était la meilleure de la classe. Emily se dit qu'elle ne réussirait jamais aussi bien, même en étant dans son meilleur jour.

Lisa, elle, descendait beaucoup plus bas que toutes les autres à la barre.

Et Anna. Elle savait tout faire ! Elle apprenait les nouveaux pas à une vitesse étourdissante. Ses petits battements étaient excellents, rapides et précis.

— Maintenant, face à la barre, mesdemoiselles, pour les échappés.

Emily se mit en position face au miroir, les deux mains sur la barre. En attendant la musique, elle observa son reflet. « Regarde les choses en face ! se dit-elle. Tu n'es pas la meilleure de la classe. Et c'est sans compter les élèves des autres cours juniors du pays ! Ne parlons même pas des danseuses qui viendront du monde entier... »

Elle chassa ses pensées sinistres pour se concentrer sur son travail. Au fil du cours, elle se sentit de mieux en mieux. Puis vint le moment des nouveaux pas.

— Faites-le en même temps que moi, ordonna Mlle Taylor. Attention au port de bras, Grace. C'est bien… Maintenant le pied de derrière passe devant et… restez en position.

C'était un pas bizarre, avec quelque chose de latino. Emily aimait son côté chaloupé. Elles le répétèrent deux fois toutes ensemble, puis Mlle Taylor leur demanda de se mettre par deux.

– Emily et Anna, vous commencez, puis Mélissa et Suzy, vous partirez de l'autre coin.

Emily et Anna traversèrent la salle au rythme de la musique. Puis ce fut le tour de Mélissa et Suzy. Mlle Taylor les arrêta au bout de quelques pas.

– Pourriez-vous retourner à votre place et recommencer, s'il vous plaît ?

Elles recommencèrent donc. Tout le monde voyait bien ce qui n'allait pas. Mélissa ne parvenait pas à prendre le coup. Mlle Taylor lui remontra le pas en le détaillant. Mais Mélissa n'y arrivait toujours pas, elle ne semblait pas trouver le rythme. Elle s'empourprait de plus en plus. Emily avait de la peine pour elle.

Mlle Taylor passa aux suivantes comme si de rien n'était, mais Emily voyait bien que Mélissa était toute honteuse. Ses pommettes restèrent enflammées pendant tout le cours.

Dans les vestiaires, Emily tenta de la réconforter :

– Ne t'en fais pas. C'est un pas difficile et tout le monde a des jours avec et des jours sans. Tu m'as vue pendant les échauffements ? Je faisais n'importe quoi.

– Ça va, Emily, la coupa sèchement Mélissa. Pas de problème.

Mais Emily savait très bien que ce n'était pas vrai. Son amie, si bavarde d'habitude, ne dit pas un mot dans le train. À l'approche de l'audition, tout le monde était sur les nerfs.

Emily se demanda comment elles se sentiraient toutes les deux dans une semaine, dans ce même train, en rentrant des auditions préliminaires. Beaucoup mieux que maintenant, espérait-elle.

14

Cher Journal,

*Il est minuit passé, ce qui veut dire qu'on est officiel-
lement le jour de l'audition !!! Dans neuf heures, je
serai dans le train pour Londres. Oh, là, là !*

*Je devrais dormir, mais je n'y arrive pas, je suis trop
stressée. Et si je fais n'importe quoi comme au cours de
la semaine dernière ? Je suis sûre que je vais perdre
l'équilibre pour les grands pliés et m'étaler par terre,
juste sous le nez du jury !*

*Maman est au lit depuis longtemps. Il n'y a plus un
bruit dans l'appartement. Ce n'est vraiment pas juste,
comment fait-elle pour dormir ? J'ai bien peur de ne
jamais réussir à trouver le sommeil.*

Après s'être tournée et retournée dans son lit,
Emily finit tout de même par s'assoupir. Elle ouvrit

les yeux à sept heures et resta quelques secondes bien au chaud sous sa couette, mais soudain une pensée la réveilla tout à fait : L'AUDITION !

Emily sauta du lit pour faire des exercices d'étirement. Elle fit chaque mouvement calmement, en respirant à fond, pour se concentrer sur sa journée. Son corps était bien plus souple que la semaine passée et répondait à chacun de ses ordres. « Bon début », se dit-elle.

Elle passa sous la douche, puis s'habilla en mettant son justaucorps noir sous ses vêtements. Il lui restait dix minutes avant que sa mère ne se réveille. Elle alla lui préparer son café. Celle-ci disait toujours qu'elle était incapable de quoi que ce soit tant qu'elle n'avait pas bu une bonne tasse de café fumant.

En passant devant la chambre de sa mère, Emily tressaillit. Elle avait clairement entendu une voix faible qui l'appelait. Ouvrant précitamment la porte, elle découvrit sa mère assise sur le bord de son lit, secouée de tremblements, incapable de faire le moindre mouvement.

– Maman !

Elle courut vers elle pour l'aider à se remettre au lit.

— Ton… Ton au…, bafouillait-elle, les joues ruisselantes de larmes.

Emily savait ce que sa mère essayait de dire : « Ton audition ».

— C'est sans importance, maman. Il n'est pas question que je bouge d'ici.

Les mains d'Amy Brown se crispèrent sur le bras de sa fille. Elle ne cessait de pleurer. Emily ne l'avait jamais vue dans un tel état. Elle était inquiète.

— Maman, je suis là, réussit-elle à dire. Je dois juste te quitter quelques minutes pour aller chercher de l'aide. Je reviens tout de suite.

Emily se rua dans le couloir. Elle tambourina à la porte des Minton mais personne ne répondit. Elle se souvint qu'ils étaient partis tôt pour passer la journée chez les grands-parents de Chloé.

Elle retourna dans l'appartement, complètement paniquée. « Qu'est-ce que je vais faire ? Qu'est-ce que je vais faire ? » Elle décrocha finalement le téléphone pour composer le numéro des urgences. L'opératrice lui assura qu'une ambulance allait arriver le plus vite possible. Emily rassembla quelques affaires pour sa mère, puis elle écrivit un mot à l'attention de Mélissa :

MAMAN MALADE.
PEUX PAS ALLER À L'AUDITION.
APPELLE-MOI APRÈS.

Elle accrocha le mot sur la porte d'entrée. Voir écrit noir sur blanc qu'elle n'irait pas à l'audition lui serra le cœur. Elle allait rater l'audition de la Lower School !

Mais elle avait bien plus important à penser pour l'instant… Que faisait l'ambulance ?

Les quelques minutes d'attente lui parurent une éternité. Sa mère tremblait toujours sans s'arrêter. Elle avait les yeux vitreux et elle était toute pâle et en sueur.

Emily fut soulagée quand les ambulanciers arrivèrent dans l'appartement, même si c'était affreux de voir sa mère allongée sur un brancard.

– Ça va, ma puce ? lui demanda un ambulancier alors qu'il l'aidait à grimper dans le véhicule.

– Ça va, répondit Emily en essuyant ses larmes d'un revers de main.

Elle n'avait pas le choix. Il fallait qu'elle soit forte. Elle s'assit à côté de sa mère et lui prit la main pour ne pas la lâcher de tout le trajet jusqu'à l'hôpital.

Cher Journal,

Je suis dans la salle de bains des Minton. Je passe la nuit chez eux sur un lit pliant dans la chambre de Chloé mais elle dort déjà, alors je me suis enfermée là pour ne pas la réveiller. J'ai vraiment besoin de raconter ce qui s'est passé aujourd'hui.

La journée a été un véritable cauchemar ! Maman s'est retrouvée à l'hôpital et j'ai raté mon audition.

Elle a eu une grave poussée de sclérose en plaques ce matin : sa vue s'était brouillée et elle avait du mal à articuler. Comme c'était le jour de mon audition, maman était contrariée, ce qui a encore aggravé la crise.

Le médecin a voulu la garder pour la nuit, mais elle devrait pouvoir sortir demain. Elle allait déjà beaucoup mieux ce soir, quel soulagement !

J'essaie de ne pas penser à l'audition. C'est trop dur. Hier soir, à la même heure, je me sentais tellement prête. J'étais excitée et nerveuse juste ce qu'il fallait. Maintenant, c'est trop tard.

La mère de Mélissa m'a appelée chez les Minton pour prendre des nouvelles de maman. Elle est très gentille. Nous avons une chance fabuleuse d'avoir des amis pareils, maman et moi. Mélissa s'était doutée que je serais chez les Minton et elle a cherché leur numéro dans l'annuaire. J'ai demandé à Mme Wilson qu'elle me la passe pour qu'elle me raconte son audition.

Elle m'a dit qu'elle pensait avoir bien dansé. Les autres filles de notre classe se sont bien débrouillées, surtout Grace. Lisa et Anna ont eu un fou rire nerveux, tellement elles avaient le trac. En l'entendant tout me raconter dans les moindres détails, je me suis sentie encore plus triste d'avoir raté un moment si important. Mais j'ai fait ce qu'il fallait. Je ne pouvais pas laisser maman. Il faut juste que j'oublie cette audition et que je passe à autre chose.

Ça ne va pas être facile...

15

Le lendemain, lorsqu'elle vint chercher sa mère à l'hôpital avec Mme Minton, Emily la trouva mieux même si elle était encore pâle et fatiguée. Elle l'aida à quitter le fauteuil roulant pour s'installer sur la banquette arrière de la voiture et s'assit tout près d'elle.

Alors que la voiture sortait de l'enceinte de l'hôpital, Mme Brown prit la main de sa fille.

– Emily, chérie… Je suis vraiment désolée. Je ferais n'importe quoi pour revenir vingt-quatre heures en arrière et te voir partir pour ton audition.

– Ce n'est rien, maman, répondit fermement Emily pour éviter que sa mère ne s'inquiète encore. Je suis contente d'être restée avec toi. De toute façon, c'est sans doute mieux comme ça. Tu imagines ce qui se serait passé si j'avais été prise à l'école du Royal Ballet ? Si tu avais eu une crise alors que j'étais là-bas ? C'était une mauvaise idée depuis le début.

La mère d'Emily la prit dans ses bras.

– Non, chérie ! Tu n'as pas le droit de dire ça. C'est terrible que tu n'aies pas pu passer ton audition. Mais il n'est pas question que tu décides pour autant de rester auprès de moi à tout jamais. Ça aurait aussi bien pu se passer alors que tu étais à l'école ou chez une amie. Je suis tout à fait capable d'appeler la mère de Chloé ou les urgences moi-même.

Mme Minton leur jeta un coup d'œil dans le rétroviseur.

– Emily, je suis vraiment navrée de ne pas avoir été là hier.

– Ce n'est pas grave, madame Minton, répondit Emily avant de se tourner vers sa mère. Mais qui s'occuperait de toi pendant ta convalescence si j'étais en pension ? Qui préparerait le dîner ou ferait le ménage ? Tu en serais incapable toute seule.

– Oui, mais tu sais, chérie, on a des amis qui pourraient être présents maintenant. La mère de Chloé habite juste en face. Et Steve serait prêt à venir m'aider, j'en suis sûre.

Elle embrassa sa fille sur le front.

– Tu n'as pas à t'occuper de moi. Tu dois d'abord prendre soin de toi !

Mais Emily était sous le choc. Tout ce qu'elle savait, c'est qu'elle avait raté la chance de sa vie. Elle avait tout gâché.

Une fois à la maison, comme sa mère allait mieux, Emily alla chez Chloé pour discuter un peu. Elle commençait vraiment à réaliser ce qui s'était passé : elle avait manqué l'audition. Elle ne voulait pas que sa mère voie à quel point elle était déçue, mais elle avait besoin d'en parler à quelqu'un.

Dès que les filles furent dans la chambre de Chloé, Emily éclata en sanglots.

– J'ai tout raté !

– Oh, Emily ! Ce n'est vraiment pas juste, ce qui t'est arrivé. Ils ne peuvent pas te faire passer l'audition la semaine prochaine ? Tu es sûre qu'il n'y a rien à faire ? Il y a forcément une solution.

– Non. C'est trop tard. Tu n'as aucune excuse pour ne pas te présenter à une audition, à moins d'être malade ou blessée. Et moi, je n'avais rien.

– Je suis vraiment désolée. Je sais à quel point tout ça était important pour toi.

– Mme Franklin était si fière que deux de ses élèves auditionnent pour l'école du Royal Ballet! Elle va être tellement déçue lorsqu'elle apprendra que je n'y suis pas allée. Et je ne sais même pas si je vais oser me présenter devant Mlle Taylor au prochain cours juniors!

Chloé secoua la tête.

– Ils comprendront, Emily! C'est évident. Tu as fait exactement ce qu'il fallait.

Emily sortit un mouchoir pour essuyer ses larmes, et s'efforça d'arrêter de pleurer.

– Merci, Clo. Je ne sais pas comment je me débrouillerais sans toi.

Le mercredi suivant, Emily n'avait aucune envie d'aller à son cours de danse. Elle n'était pas prête lorsque Mélissa et sa mère arrivèrent chez elle pour la prendre. Mélissa était resplendissante. Elle avait de nouvelles boucles d'oreilles et elle était très bien coiffée. Emily jeta un coup d'œil dans le miroir de l'entrée. Son visage reflétait exactement ce qu'elle ressentait: elle était toute pâle et chiffonnée.

– Emily ? Tout va bien ? demanda Mme Wilson.

– Oui, oui… désolée. Je me dépêche.

– Pas de problème, ma puce. Je vais dire un petit bonjour à ta maman pendant que tu finis de te préparer.

Mélissa dévisagea attentivement son amie.

– Emily, tu es sûre que tout va bien ?

Emily s'apprêtait à répondre que oui mais au lieu de cela elle poussa un profond soupir :

– Non, pas vraiment. Je n'ai pas envie d'y aller. Tout le monde va me poser des questions. Mais j'imagine que si je n'y vais pas ce soir, ça ne fera que reporter le problème à la semaine prochaine ou à la suivante…

Mélissa sourit.

– Allez, tout va bien se passer, tu vas voir.

Mélissa avait raison. Au grand soulagement d'Emily, personne ne mentionna l'audition pendant le cours. Zoé avait un nouveau téléphone portable qui captiva toutes les autres élèves.

Emily se détendit petit à petit et retrouva le plaisir de sentir ses muscles s'étirer en travaillant ses pliés. Elle remarqua que Rebecca, une nouvelle, prenait exemple sur elle. Assez rapidement, elle était de nouveau elle-même : Emily Brown, jeune danseuse.

Cher Journal,

J'ai été surprise de prendre autant de plaisir au cours de danse d'aujourd'hui alors que je ne voulais pas y aller au début. J'imagine que rien ne pourra jamais m'empêcher d'aimer danser.

J'ai apprécié que Mme Franklin ne me parle pas trop de l'audition. Elle m'a demandé des nouvelles de maman et m'a dit qu'elle était désolée pour moi, c'est tout. Heureusement, car je crois que si elle avait insisté, je me serais mise à pleurer.

Je l'ai vue plusieurs fois m'observer attentivement en fronçant les sourcils. Je me demande bien pourquoi.

Bon... Il reste encore Mlle Taylor. J'appréhende vraiment de la revoir.

16

Un matin, en sortant de chez elle, Emily faillit rentrer dans le facteur qui s'apprêtait à sonner. Il avait à la main une lettre adressée à sa mère. L'enveloppe portait le cachet de l'école du Royal Ballet. Emily était trop impatiente de l'ouvrir pour faire la conversation et se contenta d'un simple :

– Merci, Steve.

Elle examina l'enveloppe, le cœur battant. Que pouvait-elle bien contenir ? Ce n'était sûrement qu'une lettre officielle annonçant qu'elle ne s'était pas présentée à l'audition et qu'elle était donc automatiquement recalée.

– Maman !

Sortant de la cuisine, Mme Brown aperçut Steve qui était toujours à la porte.

— Bonjour ! Toujours d'accord pour aller au vernissage de cette nouvelle galerie d'art, ce soir ?

— On verra ça plus tard, l'interrompit Emily. Steve est venu t'apporter cette lettre du Royal Ballet. Ce n'est sans doute qu'un papier sans importance, mais il vaut mieux l'ouvrir.

Après avoir déchiré l'enveloppe, la mère d'Emily parcourut la lettre et un sourire radieux illumina soudain son visage.

— Ça vient de la secrétaire du bureau des auditions, mais ce n'est pas du tout ce que tu crois ! Tiens, lis toi-même.

La lettre venait bien du bureau des auditions. Emily était sélectionnée pour l'audition finale du samedi 6 mars !

— Mais, je... je ne comprends pas, bafouilla-t-elle.

— Lis la suite, lui conseilla sa mère.

En fait, Mme Franklin avait contacté Mlle Taylor pour lui demander si elle pouvait envoyer au jury une cassette vidéo du solo d'Emily au spectacle de Noël. Elle pensait que, comme elle n'avait pu se rendre à l'audition préliminaire, elle pourrait être jugée sur ce solo.

Emily lut à voix haute :

– « ... Au vu des circonstances exceptionnelles, après visionnage de la performance scénique de Mlle Emily Brown, le directeur de l'école a pris la décision d'autoriser celle-ci à se présenter à l'audition finale qui se déroulera dans les locaux de la Lower School. »

Emily n'en croyait pas ses yeux. « L'audition finale ! » Elle lut et relut la lettre, encore et encore, puis se jeta dans les bras de sa mère. Elle était folle de joie. Elle embrassa même Steve avant de s'écrier :

– Il faut absolument que je prévienne Chloé ! J'ai envie de le dire au monde entier !

Sur le chemin de l'école, les filles n'eurent qu'un seul sujet de conversation : la lettre.

– Je n'arrive toujours pas à réaliser ! s'exclama Emily. Il faut absolument que j'offre des fleurs à Mme Franklin pour la remercier. C'est fou ce qu'elle a fait pour moi. Tu imagines si je réussis l'audition finale ?

– Bien sûr que j'imagine, répondit laconiquement Chloé en fixant le trottoir.

— Quelque chose ne va pas ? Désolée, je suis une idiote. Je ne parle que de moi et de mes histoires.

Chloé secoua la tête.

— Non, ce n'est pas ça. Je suis vraiment contente pour toi, mais…

— Mais…

— C'est juste que tu vas me manquer. J'ai l'impression qu'on se connaît depuis toujours. Ça va vraiment me faire drôle de ne plus t'avoir comme voisine. C'est génial pour toi, mais je n'ai pas envie que tu t'en ailles.

Emily prit la main de son amie et la serra très fort.

— Oh, Clo ! Toi aussi, tu vas me manquer, je vais me sentir perdue sans toi. Mais je reviendrai tous les week-ends et pour les vacances, ce n'est pas comme si on n'allait jamais se revoir ! Et puis, rien n'est encore sûr. Je dois d'abord réussir l'audition. Avec la chance que j'ai, la voiture va tomber en panne sur la route ou je vais me tordre la cheville la veille.

Chloé éclata de rire.

— Arrête de dire n'importe quoi ! Tout se passera bien.

Elle consulta sa montre.

– Oups ! On ferait mieux de se dépêcher, sinon on va être en retard.

Cher Journal,

J'ai eu Mélissa au téléphone ce soir après le dîner. Elle est prise pour l'audition finale ! Et Grace et Lisa aussi ! Mais c'est tout. Les autres juniors ne sont pas sélectionnés. Je suis étonnée qu'Anna ait été recalée. Et son frère aussi ! En revanche, Matt Haslum, Oliver Stafford et James Rock ont reçu leur convocation pour l'audition. Oliver a énormément de talent, je suis certaine qu'il réussira. J'espère que Matt sera pris lui aussi. Ses parents déménagent à Birmingham et il va suivre la fin des cours juniors là-bas. C'est dommage.

Une chose est sûre : on m'a donné une seconde chance et il n'est pas question que je la gâche ! Je vais montrer aux juges qu'ils ont eu raison de faire une exception, je vais danser comme jamais auparavant !

17

Un après-midi de février, en rentrant de l'école, Emily découvrit sa mère installée sur un banc sous un magnifique magnolia, dans le parc de l'université. Il faisait doux et les arbres commençaient à se couvrir de bourgeons duveteux.

En l'apercevant, Amy lui demanda de venir s'asseoir à côté d'elle. Emily vit tout de suite que sa mère avait pleuré. Elle réalisa soudainement pourquoi : c'était l'anniversaire de son père.

Emily se pelotonna contre elle, comme lorsqu'elle était petite.

– Ton papa aurait eu trente-neuf ans aujourd'hui, lui rappela sa mère.

Emily resta un long moment la tête sur son épaule, à l'écouter parler de son père alors que l'air se rafraîchissait. Ses études à Oxford, le jour où ils s'étaient rencontrés. Tous les moments fabuleux qu'ils avaient passés ensemble et le jour où il avait décidé de la suivre à Chicago et de la demander en mariage. Et lorsqu'ils avaient acheté la petite maison aux volets bleu et blanc sur le lac.

– Ton père et ton grand-père se sont donné tellement de mal pour restaurer cette maison. Ils ont fait connaissance en travaillant ensemble. Et quand tu es arrivée, nous avons été si heureux…

La mère d'Emily renifla et s'essuya les yeux. Sa fille la serra très fort dans ses bras. Elle aurait aimé avoir plus de souvenirs de son père. Elle avait parfois l'impression que son absence avait laissé un vide dans son cœur. Est-ce qu'une personne que vous n'avez quasiment pas connue peut vous manquer ? D'une certaine façon, c'était ce qui lui arrivait. Elle aurait aimé avoir la chance de le connaître, de le faire rire, de le rendre fier d'elle.

– Tu sais, je pense que ton père aurait apprécié Steve, déclara sa mère après un long silence.

– Je pense aussi, lui répondit Emily en souriant.

Elles restèrent encore assises là un moment, perdues dans leurs pensées, jusqu'à ce qu'il fasse trop froid et qu'il soit temps de rentrer.

La préparation de l'audition finale fut particulièrement intense pour Emily et Mélissa. Mme Franklin leur donna des cours particuliers et elles durent travailler très dur. Le professeur n'avait de cesse de les pousser au-delà de leurs limites : « Plus hauts, les sauts, plus hauts ! Tendue, plus tendue, cette pointe de pied ! Grandissez-vous ! Et on garde le sourire ! On ferme en cinquième ! Attention au port de bras !... » Emily s'endormait chaque soir bercée par la voix de Mme Franklin.

À la maison, elle faisait des exercices d'assouplissement tous les matins avant l'école et répétait tous les soirs après ses devoirs. Elle avait l'impression de vivre vingt-quatre heures sur vingt-quatre pour la danse, à tel point qu'elle ne voyait pas passer ses journées.

– La Terre appelle Emily, la Terre appelle Emily ! avait pris l'habitude de plaisanter Chloé. Vous nous recevez sur la planète Danse ?

– Euh, pardon…, bafouillait Emily. Excuse-moi, qu'est-ce que tu disais, Clo ?

Le vendredi précédant l'audition, Chloé lui offrit une carte où il était écrit : « BONNE CHANCE ! »

en lettres énormes. Toute la classe avait signé au dos. Chloé sortit son agenda et fit semblant de le consulter.

– Bien, et dimanche, tu es convoquée chez moi pour un compte rendu détaillé de l'audition, annonça-t-elle en prenant un ton sévère.

– Aucun problème ! répondit Emily en riant.

– Tiens, c'est mon bracelet porte-bonheur, dit Ruby en lui glissant dans la main un lien orné d'une pierre rouge. Je te le prête. Chance 100 % garantie.

– Tu m'appelles demain soir, d'accord ? demanda Tasha. J'attendrai ton coup de fil, Zoé aussi.

Même Rachel eut des mots d'encouragement :

– Bonne chance, Emily. Et cette fois, je suis sincère.

La jeune fille, très émue, les remercia toutes. En croisant le regard de Chloé, elle remarqua cependant qu'elle avait l'air un peu chagriné, elle qui était si gaie d'habitude. Sa gorge se serra. Entrer à la Lower School était son rêve le plus cher mais, s'il se réalisait, elle serait obligée de laisser derrière elle ses nouvelles amies, et ça, c'était triste. Tout était vraiment trop compliqué !

Cher Journal,

Demain, c'est l'audition finale. Mon sac est prêt, les vêtements que je vais porter sont sur ma chaise, j'ai même préparé mon petit déjeuner ! Il ne me reste plus qu'à donner le meilleur de moi-même demain. Tant de gens croient en moi : maman, papi et mamie, Mlle Taylor, Mme Franklin et tous ceux qui m'ont aidée, Sarah et la bande de Chicago, Chloé, Tasha, Ruby et tous mes amis anglais qui m'encouragent. Je dois réussir pour eux, pour mon père aussi.

Et avant tout, je dois réussir pour MOI !

18

– Tu crois que ça marche, les porte-bonheur ? demanda anxieusement Mélissa en jouant avec une bague qu'elle portait au majeur.

– J'espère, répondit Emily en caressant le bracelet que lui avait prêté Ruby. J'en ai au moins cinq sur moi, aujourd'hui !

Les deux amies étaient en route pour leur audition, à l'arrière de la voiture des Wilson, avec la mère d'Emily. Ils arrivaient au parc de Richmond, dans le sud-ouest de Londres. White Lodge, le célèbre bâtiment de l'école du Royal Ballet, était situé au beau milieu de ce parc de un hectare. Pour y aller, il fallait prendre un taxi depuis la station de métro ou s'y rendre en voiture.

– Seulement cinq ? s'étonna Mélissa. Je crois bien que j'en ai dix-sept !

– Si ça nous aide à réussir l'audition, peu importe le nombre! s'exclama Emily. Regarde! Un chevreuil!

Elle n'en revenait pas. Elle venait de voir un chevreuil… à Londres! Le parc était immense, il y avait des chênes magnifiques et même des animaux en liberté! Rien à voir avec les parcs que l'on trouvait normalement dans les villes, car celui-ci était une ancienne réserve de chasse.

Après avoir monté une côte, ils arrivèrent devant une grille où un homme en veste jaune vérifia leurs noms sur une liste. Puis, ils franchirent le portail… et découvrirent enfin White Lodge.

Emily avait passé toutes ses soirées à admirer les photos des brochures mais, en découvrant le bâtiment majestueux, elle n'en crut pas ses yeux : la pierre blanche des colonnes étincelait sous le soleil de mars et, au beau milieu des hautes fenêtres de la façade, s'ouvrait une imposante porte de bois.

– Waouh! s'exclama Mélissa.

Emily se contenta d'acquiescer. Elle était bouche bée.

Pendant qu'ils sortaient les bagages du coffre, la mère d'Emily prit la main de sa fille.

— Ne te laisse pas impressionner, ma puce, lui murmura-t-elle. Ce ne sont que de vieilles pierres. L'important, c'est que tu fasses de ton mieux.

— Je sais, lui répondit Emily en la serrant dans ses bras.

Dans le hall d'entrée, les murs étaient couverts de photos en noir et blanc des danseurs qui avaient été formés à White Lodge. Ils étaient tous là : Antoinette Sibley, Anthony Dowell, Darcey Bussel, Margot Fonteyn. Emily se sentit tout intimidée.

Guidées à travers un dédale de couloirs, les jeunes filles et leurs familles passèrent devant une statue en bronze de Margot Fonteyn.

— Regarde, murmura Mélissa à Emily. Tu vois le doigt qui brille plus que les autres ? J'ai lu que les élèves le touchaient parce qu'il porte chance.

— Mince, tu aurais dû me le dire avant ! J'en aurais bien eu besoin !

On les conduisit ensuite vers un bâtiment plus moderne. Là, ils furent accueillis par une femme dont le badge indiquait : « Pamela Dale, bureau des auditions ». Elle cocha le nom des filles sur sa liste et leur donna des numéros à porter sur leurs justau-corps pendant l'audition. Mme Brown et les parents de Mélissa reçurent des badges à leur nom à épin-gler au revers de leur veste.

— Par ici, s'il vous plaît, dit Pamela en les menant vers une grande salle où l'on avait installé des ran-gées de sièges.

Le cœur d'Emily s'emballa. Il s'agissait du célèbre studio Margot-Fonteyn !

La plupart des chaises étaient déjà occupées, exclusivement par des jeunes filles et leurs parents, car les garçons passaient l'audition un autre jour.

— Vous imaginez que vous aurez peut-être cours de danse dans un studio comme celui-là, les filles ? remarqua le père de Mélissa en regardant autour de lui.

La pièce était immense, le plafond très haut et tous les murs couverts de miroirs.

Mais Emily s'efforçait de ne pas se projeter dans l'avenir, elle était déjà assez nerveuse comme ça ! Une fois qu'ils furent installés, elle observa les filles qui entraient, l'air tout aussi intimidé qu'elle, en se demandant qui serait la meilleure. Elles portaient toutes des chignons ou les tresses relevées des

juniors. On leur avait demandé de mettre un justaucorps sous leurs vêtements, qui se résumaient en
général à un jean et un pull, comme Emily et
Mélissa.

— C'est Grace ! s'écria Mélissa, en lui faisant
signe pour qu'elle vienne s'asseoir avec eux.

Leur amie avait l'air aussi angoissé qu'elles.

— Salut ! Vous avez vu le monde qu'il y a ! Vous
croyez que ce sont toutes des FED ?

Mais les filles n'eurent pas le temps de répondre
car, juste à ce moment-là, le silence se fit dans le
studio. Une femme très élégante venait d'entrer.

— Bonjour, je me présente : Lynette Shelton,
directrice de l'école du Royal Ballet. J'aimerais vous
souhaiter la bienvenue à la Lower School pour cette
audition finale.

Elle leur fit un petit discours pour expliquer
comment allait se dérouler l'audition. Les parents
étaient invités à prendre un thé ou un café en attendant. Et maintenant il fallait y aller !

Les jeunes danseuses, pâles et impatientes, se
tournèrent alors vers leurs parents. On se souhaitait
bonne chance, on s'encourageait, c'était un vrai
brouhaha.

Emily inspira le parfum de sa mère alors que celle-ci la prenait dans ses bras.

– Sois naturelle, mon cœur ! Tu peux y arriver, je le sais. Et surtout, n'oublie pas de sourire !

Une fois les parents partis, Pamela Dale et une autre femme séparèrent les élèves en deux groupes de vingt. Heureusement, Emily, Mélissa et Grace se retrouvèrent ensemble. Emily fit rapidement le calcul… Elles étaient donc quarante à se présenter à l'audition, beaucoup plus qu'elle ne se l'était imaginé. Une dizaine seulement seraient sélectionnées, quant aux autres…

Leur groupe fut d'abord conduit dans une salle de classe où elles durent écrire une rédaction pour se présenter. Le professeur leur suggéra de décrire leur famille, ce qu'elles aimaient dans la vie, ce qu'elles n'aimaient pas.

Emily réfléchit un moment, le stylo à la main. Elle se mit à raconter son déménagement, le voyage, puis l'installation à Oxford et tous les nouveaux amis qu'elle s'était faits. Elle parla aussi de Sarah et de ses grands-parents qui lui manquaient. Elle ne vit pas le temps passer et, bientôt, le professeur leur demanda de poser les stylos.

Ensuite, Mlle Dale les mena aux vestiaires pour le cours de danse. Une grande fille très jolie d'environ seize ans les y attendait.

– Je vous présente Nia. Elle est là pour vous aider à vous préparer.

Nia leur fit un grand sourire.

– Bonjour, tout le monde. Je me souviens très bien de mon audition finale et je sais ce que vous ressentez. Mais ne vous inquiétez pas, ce ne sera pas aussi effrayant que vous le pensez.

– Ce sera pire encore, murmura Mélissa.

– Non, pas du tout ! répondit Nia. Vous verrez, ce sera terminé avant que vous ne le réalisiez.

Mélissa était écarlate.

– Oups, pardon. Je ne pensais pas avoir parlé si fort. Je devrais réfléchir avant d'ouvrir la bouche.

Elles éclatèrent toutes de rire, ce qui détendit un peu l'atmosphère.

Alors que les filles se changeaient en bavardant à voix basse, Grace fit tomber sa bombe de laque à cheveux dans un fracas qui fit sursauter tout le monde.

Lorsqu'elles eurent attaché leurs numéros à leurs justaucorps, elles retournèrent dans l'immense studio. Emily avait du mal à réaliser ce qui lui arrivait : elle était sur le point de passer l'audition qui lui ouvrirait les portes de l'école du Royal Ballet !

Le jury était installé derrière une longue table. Ils étaient six, quatre femmes et deux hommes, munis de bloc-notes et de stylos. Ils sourirent aux élèves qui venaient d'entrer.

– Voici Mlle Carroll, annonça la directrice en montrant la personne en justaucorps qui se trouvait près d'elle. C'est elle qui assurera le cours ce matin.

Elle présenta ensuite chaque membre du jury, puis souhaita bonne chance aux jeunes danseuses, en leur conseillant de se relaxer.

– Surtout, prenez du plaisir à danser, mesdemoiselles.

Mlle Carroll demanda aux élèves de prendre place à la barre dans l'ordre des numéros qui leur avaient été attribués. Emily avait le cœur qui battait si fort... elle avait l'impression que le monde entier l'entendait. Elle se remémora alors ce que sa mère lui avait dit : « Tu peux y arriver, Emily. »

Le cours débuta par des exercices simples, mais toutes les filles étaient extrêmement concentrées sur ce qu'elles faisaient. Elles tenaient leur tête bien droite, surveillant constamment la position de leurs bras, travaillant leur en-dehors au maximum, s'efforçant de garder la pointe des pieds bien tendue, de ne pas se cambrer, de rentrer leur ventre, de baisser les épaules et de se grandir le plus possible.

Après la barre, comme au cours juniors, elles passèrent au milieu pour exécuter quelques pas par groupes de deux ou trois. Mlle Carroll changeait les groupes à chaque fois. Emily fut vraiment contente de se retrouver avec Grace pour le dernier exercice, le pas de valse, son favori ! En plus, elles le dansaient parfaitement toutes les deux.

Ensuite, Mlle Carroll les sépara en deux lignes, une à chaque bout de la pièce, et leur montra un nouvel exercice : les filles devaient traverser le studio sur une musique rythmée, en se croisant en diagonale.

– Celle de gauche passe devant celle de droite, c'est une des règles de la scène, leur expliqua-t-elle.

Emily compta rapidement dans sa tête. Elle devait passer derrière la danseuse qui portait le numéro 18. Elle était rousse, donc facile à repérer.

Alors que le morceau commençait, les premières

danseuses des deux lignes s'élancèrent à travers le studio. Emily ne quittait pas la fille rousse des yeux. Mais, soudain, la fille qui était devant Emily passa justement derrière la rousse !

Paniquée, Emily ne savait plus que faire. Elle hésita une seconde de trop… et lui rentra dedans. L'autre lui jeta un regard furieux. Emily retourna dans sa ligne pour terminer le pas. En arrivant à la barre, elle était désespérée.

« J'ai tout raté, se dit-elle. Comment ai-je pu me tromper ? »

Elle recompta : la fille rousse avait changé de place sans qu'elle le remarque ! « J'aurais dû recompter plusieurs fois ! Je me suis complètement ridiculisée ! »

La fin du cours passa dans un brouillard. Plus tard, Emily fut même incapable de se rappeler ce qu'elle avait fait ou dans quel ordre. Lorsqu'elles firent leur révérence, elle était à bout de souffle, ruisselante de sueur, et des mèches s'échappaient de son chignon.

En quittant le studio, elle évita le regard des autres. Elle était tellement mal à l'aise qu'elle aurait voulu être à l'autre bout de la planète. « Mais comment ai-je pu m'imaginer que j'étais assez bonne pour entrer à l'école du Royal Ballet ? »

— Je me sens nulle, soupira Grace dans les vestiaires.

Mélissa resta muette, ce qui était étonnant de sa part.

— Je crois qu'on est toutes épuisées après un cours aussi difficile, remarqua une fille qui s'appelait Sophie.

Nia s'adressa à tout le monde en souriant :

— Vous devez être à bout de forces. Vous serez donc heureuses d'apprendre que c'est maintenant l'heure du déjeuner. Ensuite, vous passerez vos entretiens et la visite médicale.

Après le repas, on les conduisit dans une pièce du bâtiment principal où le kinésithérapeute de l'école les ausculta. Il écouta leur cœur, vérifia le bon alignement de leur colonne vertébrale, et fit un check-up complet pour s'assurer qu'elles pouvaient danser.

Enfin, la journée se termina par un entretien avec le directeur de la Lower School, M. Knott. Son bureau était immense, éclairé de hautes fenêtres. Les murs étaient couverts de magnifiques tableaux et une grande bibliothèque en bois occupait une partie de la pièce. Emily prit place sur une chaise en face du directeur, qui lui posa des questions.

– Bien, Emily, qu'aimes-tu faire, à part danser, bien sûr ?

Elle hésita. Rien ne lui venait à l'esprit.

– Nager, finit-elle par dire. Et écrire.

Il prit des notes.

– Alors, tu aimes lesrédactions à l'école, j'imagine ? ajouta-t-il avec un sourire d'encouragement.

– Euh… oui, bafouilla Emily. Et… euh… l'histoire. J'ai bien aimé étudier la vie du roi Henry VIII et de toutes ses femmes.

– Je vois que tu viens des États-Unis. Nous avons plusieurs élèves américains à la Lower School. Quatre, je crois. Tu trouves la vie très différente, ici ?

Emily acquiesça : elle avait dû apprendre à passer des dollars aux livres… et puis les voitures étaient plus petites, et les expressions étaient différentes aussi, parfois. Ensuite elle se mit à parler d'Oxford sans pouvoir s'arrêter : elle raconta à quel point elle aimait vivre dans une ville chargée d'histoire, au milieu de ces bâtiments fabuleux et des boutiques qui ressemblaient à de petites maisons, très différentes de celles de Chicago. Elle raconta le jour où sa mère l'avait emmenée à la bibliothèque universitaire, l'odeur de vieux livres et…

Réalisant qu'elle avait beaucoup trop parlé, elle s'arrêta pratiquement au milieu d'une phrase. Elle avait déjà raté l'épreuve de danse, elle ne voulait pas rater l'entretien également !

Après une ou deux questions supplémentaires, M. Knott se leva, et Emily devina que c'était terminé. Il avait énormément d'autres jeunes filles à rencontrer. Il lui serra la main en souriant avant de la raccompagner.

L'entretien s'était plutôt bien passé, mais elle ne parvenait pas à oublier ce qui était arrivé lors du cours de danse. Comment avait-elle pu être aussi bête ? Grace avait eu beau lui dire que ce n'était pas grave, Emily s'en voulait terriblement. Elle n'avait encore jamais vécu un tel échec !

Une fois les entretiens terminés, Mlle Dale leur fit visiter White Lodge. Le bâtiment était désert, il y régnait un silence impressionnant. On se serait plus cru dans un château que dans une école.

— Où sont les élèves ? demanda une fille qui était à côté d'Emily.

— Le samedi après-midi, ils rentrent chez eux ou vont se promener en ville, expliqua Mlle Dale.

Elle ouvrit la porte du dortoir. Celui-ci était tout en longueur et en forme de demi-lune, baigné par la lumière du soleil. Il y avait plein de posters aux murs et les lits étaient recouverts de couettes et de coussins de toutes les couleurs.

— Voici le dortoir de nos petites danseuses de première année, annonça Mlle Dale.

Il n'y avait personne mais, en traversant la pièce, les filles remarquèrent que les élèves de la Lower School avaient laissé des messages d'encouragement un peu partout : des chaussons de danse dédicacés, des ours en peluche, ou de grandes cartes de vœux. Mélissa fit signe à Emily de regarder en l'air. Elles avaient même accroché une banderole au plafond : « Bonne chance à toutes pour l'audition ! »

— C'est vraiment gentil de leur part, commenta Grace.

Emily était d'accord, c'était vraiment gentil. Mais elle était tellement sûre de ne jamais avoir la chance de dormir dans ce dortoir qu'elle ne voulait pas s'y attarder.

— Viens, les autres sont déjà parties devant, fit-elle en tirant son amie par le bras.

L'après-midi touchait à sa fin. La journée avait été longue et Emily n'avait qu'une envie : monter en voiture pour pouvoir enfin se reposer. Mais le père de Mélissa proposa d'aller dîner en ville avant de rentrer à Oxford.

Emily ne mangea pas grand-chose.

— Tu es bien calme, lui glissa sa mère. Quelque chose te tracasse ?

Elle secoua la tête en piquant une pomme de terre du bout de sa fourchette. Elle n'avait qu'une seule image en tête : elle se revoyait bousculer la fille rousse, encore et encore.

— Quand pensez-vous qu'ils nous diront si on est prises ou non ? demanda Mélissa.

— Rapidement, j'imagine, répondit Mme Wilson.

— S'ils envoient les lettres lundi après-midi, elles devraient arriver mardi, compléta son mari. Et avant que tu n'ajoutes quoi que ce soit, Mélissa, tu vas à l'école mardi matin !

Lorsqu'elle fut enfin de retour chez elle, Emily était si fatiguée qu'elle s'endormit tout habillée sur son lit.

Elle ouvrit les yeux en sentant que sa mère la déshabillait délicatement pour la mettre en pyjama. Emily se blottit dans ses bras.

– Je pourrais dormir cent sept ans, murmura-t-elle.

– Tu es la Belle au bois dormant?

– Très drôle… Dis, maman, et si Mélissa est admise et pas moi?

Emily y avait pensé pendant tout le trajet du retour. Sa mère prit ses mains dans les siennes.

– Eh bien, ma chérie, tu seras déçue, bien sûr, mais tu te réjouiras aussi pour elle.

Elle embrassa sa fille en lui souhaitant bonne nuit et éteignit la lumière. Emily repensa à ce que venait de lui dire sa mère. Se réjouir pour Mélissa? Elle l'espérait mais, au fond, elle savait qu'elle serait surtout très jalouse.

Emily soupira. Elle ne parvenait pas à se rendormir. Elle n'arrêtait pas de penser à l'audition. Elle ralluma et sortit son journal de son sac.

Cher Journal,

Je suis morte de fatigue, et pourtant, impossible de trouver le sommeil ! C'est dur à admettre mais je sais que, si Mélissa est reçue à l'école du Royal Ballet et pas moi, j'aurai du mal à me réjouir pour elle.

Je ne sais plus quoi penser de ma performance. Je ne me suis jamais sentie aussi nulle qu'aujourd'hui, lorsque je suis rentrée dans cette fille ! Et j'ai bien mérité le regard qu'elle m'a lancé. Mais je n'ai pas commis d'autre erreur. Je n'ai plus qu'à espérer que j'ai assez bien dansé pour leur faire oublier ce moment-là !

Je suis tellement fatiguée que j'ai l'impression que je pourrais dormir au moins trois jours. C'est peut-être ce qui va se passer. Je ne vois pas comment tenir jusqu'à mardi matin autrement ! S'il vous plaît, faites que je sois prise, s'il vous plaît !

19

Le lundi, à l'école, Emily fut incapable de se concentrer de toute la journée. Le mardi matin, lorsqu'elle dut partir, Steve n'avait pas encore apporté le courrier. En classe, elle passa son temps à imaginer l'enveloppe posée sur le paillasson, attendant d'être ouverte. C'était insoutenable !

– Emily Brown, hé, ho ! s'écria Chloé pendant le déjeuner. Tu n'as même pas écouté ce que je viens de te dire. Maman est d'accord pour que j'organise une soirée-pyjama ce week-end !

– Oups, pardon, Clo. Je me disais que si je prenais le bus pour rentrer ce soir, je pourrais être à la maison cinq minutes plus tôt. Je voudrais voir si…

– …si la lettre est arrivée, finit Chloé à sa place. Je sais, je sais. Moi aussi ! J'espère que tu te rends compte que je suis à bout de nerfs à cause de toi !

– Toutes mes excuses, répondit Emily en riant. Changeons de sujet. De toute façon, Steve m'a promis de l'apporter dès qu'elle serait arrivée à la poste. Alors, tu parlais d'une soirée-pyjama, c'est ça ?

Le soir, quelqu'un frappa à la porte au moment même où le téléphone sonnait. Amy décrocha tandis qu'Emily se précipitait dans l'entrée en criant :

– Je vais ouvrir !

C'était Steve. Sa mère l'avait invité à dîner.

– Désolé, princesse, dit-il en entrant. Toujours rien !

– Merci quand même, répondit Emily, déçue.

Ils rejoignirent Amy dans la cuisine. Elle était toujours au téléphone, mais Emily ne voyait pas qui pouvait être à l'autre bout du fil. Quelques secondes plus tard, sa mère lui tendit le combiné.

– C'est Mme Wilson.

Emily fut surprise d'entendre la voix de la mère de son amie ; elle paraissait si triste.

– Mélissa n'est pas prise, lui apprit-elle.

– Oh non, la pauvre !

– Elle est trop déçue pour parler pour l'instant, ajouta Mme Wilson.

Le cœur d'Emily se serra.

– Dites-lui que je suis vraiment désolée. Elle va quand même venir au cours de Mme Franklin demain ?

– J'espère… Elle ne peut pas rester enfermée dans sa chambre toute sa vie. Enfin, Mélissa voulait juste que tu sois au courant. Ta maman m'a dit que tu n'avais encore rien reçu. On croise les doigts pour toi.

– Merci, marmonna Emily.

Elle raccrocha, accablée. Voilà, c'était fait. Le jury avait pris sa décision, et les lettres étaient parties. Ce n'était plus qu'une question de temps : bientôt, elle saurait si elle avait été recalée, elle aussi.

Le lendemain, Mélissa vint à l'académie Franklin. Emily ne savait pas trop si elle devait essayer de la réconforter ; elle craignait de lui faire encore plus de peine. Mais son amie se jeta à son cou.

– Toujours rien reçu ? lui demanda-t-elle.

– Non.

– Je croise les doigts pour toi, murmura Mélissa avec un faible sourire.

– Merci, répondit Emily en la serrant dans ses bras.

Elle trouvait Mélissa vraiment courageuse de venir en cours et de continuer à l'encourager malgré son propre échec. Elle l'observa pendant qu'elle faisait son chignon, comme d'habitude. « En serais-je capable ? Je n'en suis franchement pas sûre. »

Cher Journal,

Ces deux derniers jours ont été affreux. J'ai des cernes sous les yeux. Impossible de dormir. J'ai sans doute totalement loupé mon contrôle d'anglais hier. J'étais trop préoccupée pour réviser.

Mais où est passée cette lettre ? Quand va-t-elle enfin arriver pour mettre fin à mon supplice ?

20

En rentrant de l'école, le vendredi, Emily se retint de hurler lorsqu'elle vit qu'il n'y avait toujours rien au courrier.

Une semaine qu'elle attendait. Une véritable torture ! Les lettres étaient pourtant parties, certaines filles les avaient déjà reçues. Mélissa, bien sûr, mais aussi Grace qui l'avait appelée pour lui annoncer d'une voix hystérique qu'elle était prise.

Alors pourquoi Emily n'avait-elle aucune nouvelle ? C'était devenu intenable. Si elle avait raté l'audition, elle voulait le savoir. Elle pourrait alors se faire une raison, comme Mélissa.

Voyant son air désespéré, sa mère s'exclama :

– Je n'en peux plus ! Il n'est pas question que je te laisse dans cet état une minute de plus. De toute façon, c'est moi qui vais craquer la première si ça continue.

– Steve nous aurait apporté la lettre si elle était arrivée, remarqua Emily. Qu'est-ce qu'on peut faire ?

Sa mère saisit la brochure du Royal Ballet d'un air déterminé.

– Je vais te dire ce qu'on va faire : on va les appeler, et tout de suite si tu veux bien.

Le cœur d'Emily s'emballa dans sa poitrine.

– Maintenant ?

– Tout à fait ! confirma Amy.

Emily inspira un bon coup, avant de répondre :

– OK, allons-y.

Elle resta près de sa mère, le cœur battant, pendant que celle-ci composait le numéro.

– Allô ? fit Amy Brown au bout de quelques secondes. Bonjour, madame, j'aimerais savoir si quelqu'un pourrait me renseigner… C'est à propos des résultats de l'audition finale pour la Lower School, s'il vous plaît.

Elle posa la main sur le combiné pour expliquer tout bas :

– Ils vont me passer la secrétaire des auditions.

Emily se prit la tête entre les mains. Elle n'en pouvait plus.

– Bien, répondit sa mère. Pourrait-elle me rappeler, je vous prie? Oui, Amy Brown, au 623 197. Merci beaucoup, madame.

Elle raccrocha.

– Elle était déjà en ligne. Je suis désolée, ma chérie.

Emily soupira.

– On y est presque, mon cœur, la réconforta sa mère. Il nous faut quelque chose de bon pour le dîner, ce soir, que ce soit pour fêter la bonne nouvelle ou pour nous consoler. Qu'en dis-tu?

– Je sais à quoi tu penses. Un *fish and chips*!

Elles éclatèrent de rire mais s'arrêtèrent net lorsque la sonnerie du téléphone retentit. Presque en même temps, on frappa à la porte.

– Tu vas ouvrir, je m'occupe du téléphone, ordonna Mme Brown à sa fille en saisissant le combiné. Allô, oui…

Emily n'entendit pas la suite, elle courut ouvrir la porte. Steve se tenait devant elle, une enveloppe à la main.

– C'est…? commença-t-elle à dire.

Steve lui tendit l'enveloppe.

– Je viens juste de la trouver cachée entre deux gros paquets au bureau de tri. Je suis venu tout de suite, comme promis. Alors, tu l'ouvres ?

Emily palpa l'enveloppe épaisse, les mains tremblantes et le cœur battant. Elle retourna dans le salon afin d'écouter la fin de la conversation téléphonique de sa mère.

– Je vois, l'entendit-elle répondre.

Emily faillit s'effondrer. Elle était forcément recalée vu le ton solennel qu'avait sa mère.

– Ouvre-la ! la pressa Steve.

– Je comprends, continua Amy. Oui, Emily m'en a parlé.

Le sang d'Emily se glaça. Ils devaient parler du moment où elle avait bousculé une autre élève. Elle avait tout gâché à ce moment précis, elle le savait ! Quelle horreur d'apprendre ça maintenant, en présence de Steve ! Elle ne voulait surtout pas se mettre à pleurer devant lui.

Emily courut donc dans sa chambre pour ouvrir l'enveloppe. Elle voulait être tranquille pour pouvoir encaisser la nouvelle et pleurer tout son soûl.

Elle ferma la porte de sa chambre et s'y adossa, puis elle déplia la lettre pour la lire.

— *Chère Emily*, commença-t-elle tristement, *j'ai le grand plaisir de vous annoncer…*

Elle se frotta les yeux. Elle n'arrivait pas à y croire.

— *… de vous annoncer que vous avez été sélectionnée pour intégrer l'école du Royal Ballet…*

Avait-elle bien lu ? Elle était prise ! Elle allait faire partie de l'école du Royal Ballet de Londres !

— J'ai réussi ! hurla-t-elle en agitant la lettre dans les airs. J'ai réussi !

Elle se rua dans le salon. Sa mère venait juste de raccrocher. Elles se jetèrent dans les bras l'une de l'autre.

— Tu as réussi ! lui dit Amy, les yeux brillants de larmes. Tu as réussi, Emily !

Steve sauta de joie et les serra toutes les deux contre lui. Tout le monde pleurait et riait en même temps.

— Mais… comment est-ce possible ? s'interrogea Emily. J'ai été tellement mauvaise ! Qu'est-ce qu'ils t'ont dit ?

— Ils ont été impressionnés par ton enthousiasme

et ta passion. Ils m'ont dit que tu semblais avoir des dispositions naturelles pour la danse, répondit Amy en lui ébouriffant les cheveux. Je pense que ça a plus compté que ce petit faux pas.

– C'est génial ! s'exclama Emily. Waouh !

– Je suis vraiment fière de toi, la félicita sa mère.

Cher Journal,

Je n'en reviens toujours pas. Je suis prise à la Lower School !

On a tout de suite appelé papi et mamie pour leur annoncer la grande nouvelle, même s'il n'était que sept heures du matin à Chicago ! Après ça, je suis allée chez Chloé pour la prévenir. J'ai pleuré, elle a pleuré, et elle m'a prise dans ses bras pour me dire : « Je sais que c'est égoïste de ma part, mais tu vas tellement me manquer. On restera amies, hein ? Tu m'écriras ? » Je lui ai tout de suite répondu qu'il n'était pas question que je perde une amie comme elle.

Chloé a fini par me dire qu'elle était contente pour moi et nous nous sommes promis de rester amies quoi qu'il arrive.

Quand j'ai appris la nouvelle à Mélissa, elle a hurlé si fort que j'ai dû écarter le téléphone de mon oreille.

Elle était folle de joie pour moi. Elle m'a vraiment étonnée, je ne sais pas si j'aurais été aussi forte à sa place.

Maman pense que Mélissa finira forcément par réussir car elle est généreuse et très mature pour son âge. Je suis bien d'accord avec elle.

Bon, je ferais bien d'aller aider maman aux fourneaux. Elle prépare un dîner spécial pour fêter ma réussite à l'audition. Steve et les Minton sont invités. Je vais lui demander si, après, elle voudra bien regarder Casse-Noisette *avec moi. Qui sait, peut-être qu'un jour je jouerai la fée Dragée sur scène !*

À nous deux, White Lodge !

ABC de la danse

Méthode du Royal Ballet : programme d'enseignement étalé sur huit ans basé sur une méthode élaborée par l'école du Royal Ballet pour former des danseurs ayant une technique classique pure et solide.

Arabesque (de l'italien « arabesco » : motif ornemental à la manière arabe) : pose en appui sur une jambe, le corps bien droit, pendant que l'autre, tendue en arrière, est levée à la hauteur (c'est-à-dire de manière à former un angle droit avec la jambe de terre).

Barre : longue pièce de bois horizontale fixée au mur servant d'appui aux danseurs pour les exercices d'échauffement et d'assouplissement (ce qu'on appelle « le travail à la barre »).

Battement : lancé vif de la jambe libre à partir d'une des cinq positions. Il existe de nombreuses variétés de battement, entre autres, le grand battement, le petit battement, le battement frappé.

Bras en première position basse (dite aussi position préparatoire) ou « bras bas » : les bras sont gracieusement arrondis à la hauteur du pubis de manière à maintenir un petit espace entre les doigts.

Cou-de-pied : partie supérieure du pied (ce qu'on appelle aussi, sans doute improprement, la « cambrure » du pied). L'expression « sur le cou-de-pied » désigne aussi une position où le pied pointé de la jambe fléchie vient se poser sur la malléole (la saillie osseuse de la cheville) de la jambe d'appui.

Croisé : une des huit orientations du corps du danseur par rapport au public. Dans le croisé, il se présente de trois-quarts, sur une diagonale, de façon à ce que la jambe de devant cache en partie la jambe de derrière.

Dégagé : mouvement de la jambe libre, très tendue, avec pointe piquante, qui passe d'une position fermée (première, troisième ou cinquième) à une position ouverte (seconde ou quatrième) en frottant le sol.

Demi-plié : légère flexion des genoux, qui restent bien au-dessus des orteils, sans décoller les talons du sol.

Développé : mouvement lent dans lequel la jambe libre monte en retiré le long de la jambe de terre pour se déployer (devant, derrière ou à la seconde) jusqu'à extension complète.

Échappé : mouvement vif qui commence en cinquième position et consiste en une ouverture simultanée des deux jambes à la seconde au moyen d'un glissé ou d'un sauté.

Fondu : terme qualifiant un mouvement avec demi-plié progressif sur la jambe d'appui suivi d'une remontée en douceur.

Grand battement : lancé vif de la jambe tendue en l'air, à la hauteur (à angle droit) ou à la grande hauteur, dont le danseur contrôle ensuite la descente.

Grand plié : flexion maximum des genoux pendant laquelle les talons quittent le sol (sauf en seconde où le pied reste à plat).

Pas de valse : pas glissé à trois temps (avec accentuation sur le premier temps de la mesure), qui s'accompagne d'un mouvement tournant.

Saut de chat ou pas de chat : gracieux saut de côté consistant en un retiré à la cheville de chacune des deux jambes successives puis en un temps de suspension pendant lequel elles sont toutes les deux repliées, évoquant alors la forme d'un diamant. Le danseur se reçoit sur une seule jambe, bientôt rejointe par l'autre.

Pirouette : tour complet du corps en appui sur une seule jambe.

Plié : flexion plus ou moins profonde des genoux. Il en existe deux sortes : les demi-pliés et les grands pliés.

Relevé : montée sur pointes ou demi-pointes d'une jambe tendue ou des deux.

Retiré : mouvement qui consiste à faire glisser le pied de la jambe libre le long de la jambe d'appui (ou jambe de terre) pour le monter à la hauteur du genou (ou de la cheville).

Révérence : geste de salut consistant en un plié des genoux et exécuté à la fin du cours en signe de remerciement et de respect.